D0328449

LA NATION / ST ISIDORE
IP036025

FOUDRE

DU MÊME AUTEUR

Les Petites Bêtes, Ramsay, 1988
Avenida B, Flammarion, 1990
Maîtresse à Belleville, Michel Lafon, 1993
Les Grosses Bêtes, Michel Lafon, 1993
L'Adieu à Tolède, Flammarion, 1995
Christine Bravo à la mer, Flammarion, 1994
Changer tout, Michel Lafon, 1996

Christine Bravo

FOUDRE

roman

ISBN : 978-2-84563-455-8

Pour Magdalena Montes, mon amie

Se vogliamo che tutto rimanga come è,
bisogna che tutto cambi.
« Si nous voulons que tout continue,
il faut que d'abord tout change. »

Giuseppe Tomasi di LAMPEDUSA,
Le Guépard

1

SAM

Je débarque tout juste d'Atlanta. Le vol de la Northwest a été rude, j'ai passé dix plombes dans une essoreuse, sanglé à côté d'une vraie cinglée. Une Américaine grosse comme trois orques qui n'arrêtait pas de jacter. Elle ne la bouclait que pour bouffer des saloperies au ketchup ou pour me broyer le genou. Pendant les turbulences, elle braillait qu'on allait se crasher dans l'Atlantique, comme le Paris-New York, trois semaines avant. J'ai pensé qu'avec ses bouées il y avait pas de danger qu'elle coule. Dès que les foutus signaux lumineux s'allumaient, elle en remettait une couche sur le Boeing de la TWA, comme quoi il avait sûrement été dégommé par un missile de l'US Navy. Elle sondait les nuages avec ses yeux de faucon à la recherche des missiles. À un moment, je lui ai beuglé un « *Shut up !* » hargneux et elle a fait tout un cirque au steward. J'ai pas tout pigé, mais il était question de *Frenchy* quelque chose. Apparemment, elle ne nous avait pas à la bonne. On a fini par se poser à Roissy, preuve que la marine avait d'autres compagnies à dégommer, et me revoilà au bercail. Betty est dans la cuisine. À genoux devant le four. Je me cale derrière elle et je presse mes mains sur ses paupières.

— Hello, ma chérie. Devine qui est là.

— C'est toi, Bill ? elle glousse.

— Trop drôle, je grogne. Tu veux pas aller faire un tour dans la piaule, histoire que je te montre qui je suis vraiment ?

On rit et on se roule un patin bouillant.

Betty et moi, c'est du solide. Je l'aime et elle aussi. On est ensemble depuis six ans. Pour moi, six ans, c'est un sacré bail, mais c'est pas son avis. Elle, elle estime que c'est que dalle. Que pour qu'un mariage ait de la gueule, il faut qu'il comporte au minimum deux chiffres.

— J'ai pas raison, Sam ? elle me demande sans arrêt.

— Bien sûr que non, je réponds.

Je suis le type le plus verni du monde. Ma femme est tout ce dont je pouvais rêver de mieux dans ma putain de vie. Si je devais donner une définition du bonheur, je dirais que c'est nous deux, Betty et moi, pile à ce moment. Elle, elle prépare la bouffe, elle épluche les légumes, équeute les haricots, hache le persil. Moi, je me sers un whisky avec un peu de lait, ces temps-ci, j'ai des soucis gastriques, et je plaque mon ventre contre ses fesses. Elle fait semblant d'être flattée mais ça l'agace. Elle esquive mes caresses, verse de l'huile d'olive dans un faitout, sème du sel, du poivre et du piment d'Espelette.

— Sam, s'il te plaît, ne reste pas planté là.

— Merde Betty, tu vois pas que j'ai envie ?

Elle claque un baiser pressé sur ma joue et fait couler l'eau du robinet.

— Chéri, tu veux bien rincer la salade ?

Oui, je veux bien. Elle empile les déchets sur les pages nécro du *Figaro* et boucle l'ensemble en papillote. Je roule la laitue dans un torchon à carreaux que je secoue à toute blinde, ça éclabousse son brushing, elle gémit : « Sam, t'es pénible. » Elle chasse les gouttes sur son front, fait mine de me battre avec une cuiller en bois, je lèche sa joue, elle déteste mes baisers mouillés, elle les appelle mes « baisers de chèvre ». Elle crie encore plus fort : « SAM ! » Et on se gondole comme des mômes.

Le bonheur, j'insiste, c'est ça. Ça et rien d'autre.

— Sam, elle demande, tu seras à la maison, ce week-end ?

— Non, je pars au Grand Prix d'Imola.

J'ai un boulot itinérant, je suis grand reporter images, je passe pas mal de temps à l'étranger.

— Tu peux venir avec moi, si tu veux, je dis.

Je connais d'avance sa réponse. C'est « non ».

— Tu vas faire quoi, Betty ?

— Je sais pas, elle répond. Tu veux des oignons avec les tomates ?

— Si t'en prends, j'en prends.

Je la regarde poser la cocotte sur la table, merde, qu'est-ce qu'elle est belle ! Elle glisse sa paume humide sous le col de ma chemise. Je me mets *illico* à bander. Elle, elle grogne et m'envoie à nouveau bouler. Elle est à fond sur la bouffe. J'attrape sa main de force et je la cale contre ma braguette. Elle se dégage.

— Sam, c'est pas le moment.

Je ne lâche pas l'affaire, j'emprisonne ses poignets, je presse ma bouche contre sa bouche, ma langue bute contre le rempart de ses dents. Elle me rembarre. N'empêche, je suis le type le plus heureux du monde. Je débouche une bouteille de chablis.

— Raconte-moi Atlanta, elle fait.

La douche est glacée. J'allume une Lucky Strike, j'aspire une grosse bouffée. Atlanta, je n'en suis pas revenu. C'est là que tout a commencé, entre Anna et moi.

21 JOURS AVANT

Avant les JO, j'étais jamais allé dans la ville natale de Martin Luther King. À quinze piges, j'avais un poster de lui au-dessus de mon lit. Il est perché sur une estrade, il a un bras levé, il prononce son fameux discours : *I have a dream.* Il y a du divin dans son regard. Une lumière incroyable. À l'époque, je croyais encore qu'il suffisait de ça : avoir un rêve. En bouclant mes valises, je pensais à lui. Et que j'irais voir son mémorial et sa maison d'Auburn Avenue. Pendant tout le vol, j'ai gambergé sur les écrivains du Sud. Chester Himes, les deux William, Faulkner et Styron, Carson McCullers et même ce vieil enfoiré de Truman Capote. Je suis fondu de littérature américaine. J'ai atterri à Atlanta le 16 juillet au matin dans un état de grâce absolu.

À l'aéroport d'Hartsfield, on est montés par petits groupes dans les bus officiels. Chacun devait donner au chauffeur le nom de son hôtel, j'ai dit que j'allais au *Westin*, le mec a fait *Ok, j'y go.* Et macache. Deux plombes après, on tricotait encore tous les *freeways* de la ville, un kilomètre à l'envers, deux à l'endroit, et on était paumés de chez paumés. Les organisateurs avaient recruté des bénévoles pour la durée des Jeux, rien que des bouseux d'Alabama et du Mississippi. Des lascars à tête plate jamais sortis de leur brousse. À voir leurs tronches, on devinait qu'à la chasse à l'arc c'étaient des surdoués. Le genre capable de débusquer n'importe quel gibier rien qu'en reniflant une motte de terre. Les huiles d'Atlanta en avaient déduit qu'avec des cartes routières ça allait être du billard pour des gars de leur trempe. Sauf que le trafic automobile les avait complètement paniqués et qu'on en a bavé un max pour trouver nos hôtels respectifs.

Là où je me suis marré, c'est quand on a enfin déniché le *Westin*. Fallait vraiment être branque pour le louper. C'est l'hôtel le plus haut d'Amérique, soixante-douze étages et deux mille piaules, on n'en voyait même pas le sommet. Mes potes et moi, on est restés scotchés, à se dévisser les vertèbres, jusqu'à ce que le voiturier nous houspille :

— Hé les mecs, faut pas lambiner, il y a foule sur le parking.

Je suis entré dans le hall bondé, j'ai poireauté un siècle à la réception et je me suis engouffré dans le premier ascenseur qui s'est pointé. J'ai pas fait gaffe aux indications. Omnibus, direct, étage pair ou impair. J'étais obnubilé par mes bagages et les sacs de canards que je trimbalais depuis Paris, sans compter mes cartouches de Lucky Strike achetées à l'escale de Detroit. J'agonisais, chargé à bloc, empêtré dans mon fatras, crevé, lessivé par le décalage horaire et la foutue chaleur, c'est pas croyable, le cagnard qui ratatinait la Géorgie. J'avais beau être prévenu, je ne m'attendais pas à ça, à cette moiteur poisseuse, on se serait cru dans l'arrière-salle d'une blanchisserie. Je dégoulinais depuis ma descente d'avion et la pochette rafraîchissante qu'on m'avait passée avant l'atterrissage et avec laquelle je m'étais frotté la nuque avait laissé sur moi une odeur écœurante, vaguement sucrée. Je ne sais pas ce qu'il y a dans ces lingettes que vous refilent les hôtesses, toujours est-il que, quelle que soit la compagnie, c'est toujours de la saloperie, et vous avez beau le savoir, vous ne pouvez pas vous empêcher de vous débarbouiller avec. Après, vous avez la peau des joues qui tiraille, les mains qui collent, et pas moyen d'aller vous les rincer dans les toilettes, vu que l'appareil a entamé sa descente. Tout ce que vous récolteriez à ce moment-là, c'est les aboiements des stewards. Autant dire qu'en entrant dans ce putain d'ascenseur je n'étais pas à mon avantage. Et c'est là que j'ai vu mon ange. Une fille tout en blanc avec des cheveux auburn trempés, des fils de cuivre dégringolaient sur ses épaules, elle devait sortir de sa douche. Son prénom, Anna, était écrit sur le badge qu'elle portait autour du cou.

Elle était fraîche, fraîche, oui, c'est le mot. Une fontaine dans le Sahara. Elle portait une petite robe droite et un sac Calvin Klein. Ses seins pointaient vers le haut comme un envol de goélands. On s'est regardés, elle a souri et je suis resté comme un con. Un sourire pareil, franchement, j'avais jamais vu ça. Chez aucune fille, dans aucun hôtel.

Pourtant, j'ai croisé toutes sortes de filles dans les hôtels. J'en ai baisé pas mal, qui se ressemblaient toutes. J'avais pas besoin de faire le mariolle, je buvais un verre au bar, *punto*. C'est elles qui rappliquaient. Elles me demandaient l'heure ou du feu. On échangeait des banalités et on était à cran. Des papillons affolés par la lumière des lampes. On ne tournait pas longtemps autour du pot. On montait vite fait dans ma chambre. Elles détaillaient les compartiments du minibar en roulant du cul. Whisky, gin, vodka, champagne.

— Qu'est-ce que tu bois ? elles gloussaient.

Je soufflais :

— Comme tu veux, choisis.

Elles me jaugeaient, est-ce que c'était un test ?

Elles remplissaient deux verres au pif.

— Au fait, comment tu t'appelles ?

On faisait les présentations.

— Karen, Jeanne, Katia.

— Moi, c'est Sam.

Il y avait toujours les mêmes croûtes aux murs. Des copies moches et tartes. Un bouquet d'iris mortifère, une bonne femme à cheveux bleus, un mas sous des cyprès. Entre nous, le petit malin qui fourgue ces merdes aux hôtels a trouvé le bon filon.

— Karen, Jeanne, Katia, t'as pas sommeil ? je demandais.

Elles disaient « Si ». Et elles disaient qu'elles n'avaient pas l'habitude. Elles disaient qu'elles n'étaient pas comme ça. Pas du genre à suivre un inconnu dans sa chambre le premier soir.

Elles sont toutes comme ça, elles suivent un inconnu dans sa chambre le premier soir, elles baisent avec et elles prétendent que c'est pas leur genre. La première fois, j'y ai cru. Après, je me suis souvenu de l'Ecclésiaste.

« Ce qui a été, c'est ce qui sera ; ce qui est arrivé arrivera encore. Rien de nouveau sous le soleil. Quand on vous dit de quelque chose : "Venez voir, c'est du neuf", n'en croyez rien. »

Ma langue forçait leurs lèvres, je déboutonnais leur robe ou leur chemise, je dégrafais leur soutien-gorge, Alléluia ! J'aime voir jaillir la chair tendue comme une offrande, prends-en et manges-en, car ceci est mon corps. Je reniflais leur odeur qui ne me rappelait personne. Karen au lilas, Jeanne au jasmin, Katia au numéro je-ne-sais-pas-combien de Chanel. Je m'extirpais de mon jean et je me voyais enfler dans leurs pupilles. Je disais « Attends », et elles attendaient. Je disais « Ne bouge pas », et elles ne bougeaient pas. Je plaquais mon ventre contre leur ventre et on commençait à baiser. Et quand c'était fini, je les poussais vers la sortie, au cas où Betty aurait appelé.

C'est arrivé une fois. À 3 heures du mat, j'étais en pleine action, le téléphone a sonné. J'ai un chouïa tardé à décrocher.

— Sam, tu faisais quoi ? avait beuglé Betty.

J'ai maugréé une vague excuse, mais ça sonnait faux. La preuve, elle s'est inquiétée.

— Sam, qu'est-ce qui ne va pas ?

— Rien.

— Sam.

— Oui.

— Dis-moi...

— Je suis OK.

— T'as une drôle de voix.

— Je suis crevé.

— Je suis sûre qu'il y a autre chose.

— Bon Dieu, Betty, qu'est-ce que tu vas chercher... J'ai fait trois cents bornes dans une bagnole à la noix, un vrai tape-cul.

— Tu es tout seul ?

J'avais fait le malin.

— Non, bien sûr, je suis comme d'habitude, comme toutes les nuits où t'es pas là, dans les bras d'une blonde, si tu voyais ses nibards !

Et elle, ma femme, mon amour, ma vie, avait ri.

— Sam, arrête ton cinoche. Je t'aime.

— Moi aussi je t'aime. Bonne nuit.

— T'as l'air pressé.

— Mais non. Il est tard. Allez, raccroche.

— Non, toi, raccroche.

— Je préfère que ce soit toi.

— Pose le récepteur sur ton oreiller, on dormira en ligne tous les deux.

— Ne sois pas ridicule, ça va nous coûter bonbon.

— On s'en fout, on casquera.

— Mille balles de téléphone pour nous entendre ronfler, tu déconnes !

— Et alors ? Ça sera comme passer la nuit ensemble à l'hôtel.

— J'ai horreur des hôtels. Allez, Betty, raccroche.

— Puisque je ne vaux pas mille balles, raccroche toi-même, crevard.

Et j'avais raccroché. Tout roulait. J'aimais ma femme et elle m'aimait. Mais c'était plus fort que moi, je matais la bombe qui squattait mon pieu avec un sourire ironique de salope. Je voulais encore la baiser. Elle n'avait pas posé de question.

En six ans avec Betty, j'ai couché avec des dizaines de fantômes d'hôtel et ça n'a rien changé à ma relation avec elle, au contraire. À côté, aucune ne faisait la maille. La forme de leurs hanches, leur grain de peau, la façon qu'elles avaient de se déshabiller, leur souffle dans mon cou n'étaient jamais à leur avantage. Je ne dis pas que je n'ai pas aimé coucher avec elles, non. Les hommes qui prétendent ne rien éprouver en baisant sont de foutus menteurs. Mais ça m'a jamais pris la tête.

Tout ça pour dire que ces histoires n'ont rien à voir avec ce que j'ai ressenti pour Anna, la première fois que je l'ai vue et encore moins après qu'on est devenus amants. Elle et moi, on n'avait pas une chance de se rencontrer dans cet hôtel. Pas une. Le *Westin* est une métropole dans la stratosphère et vu le bataillon d'ascenseurs qui dessert les soixante-douze étages, il n'y avait aucune probabilité pour que ça se produise.

Quand la cabine s'est arrêtée à l'étage d'Anna, on n'avait pas échangé une parole, elle et moi. Je ne savais pas si elle était américaine ou du Vieux Continent, encore que je penchais pour la deuxième option. Elle avait quelque chose de très européen, peut-être dans sa façon d'être habillée. Je ne m'y connais pas en la matière, mais les Américaines ont toujours l'air ploucs. Anna ne faisait pas du tout plouc, au contraire. On sentait qu'elle avait de la classe, moi, en tout cas, je l'ai senti et, vu l'état de délabrement dans lequel j'étais, je me suis fait l'effet d'un chiffonnier d'Emmaüs. C'est donc avec un certain soulagement que je l'ai regardée descendre, elle a pris à gauche en sortant et j'ai eu le temps de lire les numéros inscrits sous la flèche : 4800 à 4810. Ça ne laissait que onze possibilités. J'ai vérifié mon numéro de chambre, 5806. Si ça se trouve, j'ai pensé, elle est pile sous moi, je veux dire, si on faisait abstraction des dix étages qui nous séparaient.

On avait pas prononcé un mot, ni bonjour, ni tchao, n'empêche, on s'était tout dit. Parfaitement, en à peine une minute, le temps de passer du lobby au 48e, je l'avais déjà dans la peau, ça peut paraître dingo mais c'est comme ça. J'en pinçais à fond pour sa pomme et quelque chose me disait qu'elle aussi.

J'ai glissé ma carte dans la fente, j'ai dû m'y reprendre à dix fois, la passer dans tous les sens, présenter la bande magnétique flèche en haut, en bas, avant de décrocher le foutu feu vert. J'ai jeté mes sacs dans l'entrée et détaillé la chambre : elle était vaste et équipée d'un lit *king size*, le genre incasable dans un appartement parisien. En face du lit, au lieu d'un mur classique avec des fenêtres, une gigantesque baie vitrée occupait toute la surface de la paroi.

Devant la vue qui s'étirait à l'infini avec, au premier plan, les carcasses des buildings d'Atlanta et, au-delà, les forêts denses et brillantes de Géorgie, j'ai eu une saloperie de vertige. J'ai dû m'agripper à la rampe qui longeait la vitre. C'était comme si je découvrais l'immensité du monde et, avec elle, les innombrables possibilités du destin. Et merde, j'ai pensé, qu'est-ce qui m'arrive ?

J'étais au sommet du plus grand hôtel d'Amérique et je pensais à elle, la fille de l'ascenseur. Et je me disais : elle est peut-être en train de regarder dehors, est-ce qu'on a le même panorama, dix étages en dessous ? J'ai collé mon front contre la baie vitrée. Quelques mètres plus bas, aux environs du 50e, la vue était bouchée. Un gros paquet de nuages moutonnaient à mi-hauteur de la tour, l'enveloppant comme un fourreau, et le soleil ricochait dessus. J'ai commencé à tournicoter dans la piaule, à faire des allers-retours frénétiques entre la salle de bains et le coin salon en me répétant en boucle les prénoms d'Anna et de Betty. Anna, Betty, Anna, Betty. Mes tempes battaient le gong, je me suis dit *Sam, tu déràilles, t'as besoin d'une bonne nuit de sommeil. Cette nana est probablement une touriste, elle est venue assister aux Jeux avec son mec, à l'heure qu'il est, ils sont en train de s'envoyer en l'air au 48e.*

J'ai pensé à Hemingway. Plus précisément, au petit jeunot de *Paris est une fête*, qui était fou de sa femme, Hadley, et qui jurait qu'il souhaitait « mourir avant d'en aimer une autre qu'elle ». On souhaite toujours ça, quand on a décroché le gros lot. N'empêche, il s'était entiché d'une Pauline et il s'était mis à aimer les deux. Hadley et Pauline. Autant l'une que l'autre. Ça le rendait cinglé, mais il n'y pouvait rien.

« Aimer vraiment deux femmes à la fois, il écrivait, est la chose la plus destructive et terrible qui puisse arriver à un homme. Vous faites des choses impossibles et, quand vous êtes avec l'une, vous l'aimez, et, quand vous êtes avec l'autre, vous l'aimez aussi, et quand elles sont ensemble, vous les aimez toutes les deux. Vous mentez et vous détestez cela, et cela vous détruit et chaque jour est plus dangereux, et vous travaillez plus dur, et quand vous cessez votre travail vous savez que ce qui arrive est impossible, mais vous vivez jour après jour comme en période de guerre. Tout le monde est encore heureux à part vous quand vous vous réveillez la nuit. Vous les aimez toutes les deux, tout est détruit en vous puisque vous aimez deux personnes au lieu d'une seule… et le plus étrange, c'est que vous êtes heureux. »

J'ai pensé qu'il n'y avait aucun risque que ça m'arrive, je ne suis pas assez tordu pour m'embarquer dans des salades aussi glauques. Trouver la bonne personne est déjà tout un binz. Et si ça dure, ça s'appelle même un miracle. Ouais, s'endormir tous les soirs peinard à côté de quelqu'un sans se poser des questions à la mords-moi-le-nœud, du type : « Qu'est-ce qu'elle a foutu aujourd'hui ? » ou « Qui elle a vu ? » est tout à fait miraculeux. Pauvre Ernest, j'ai songé, mon Hadley à moi peut être tranquille, je suis armé pour envoyer bouler toutes les Pauline de la Terre !

2

ANNA

J'étais dans l'ascenseur du *Westin*, je venais d'acheter des tee-shirts Calvin Klein chez Macy's – à Munich, ils sont hors de prix – et, vu la chaleur en Géorgie, je me disais que j'allais vite être à court de vêtements légers. Le Macy's se trouvait dans la galerie marchande de l'hôtel, au niveau moins un. Quand l'ascenseur s'est arrêté à la réception, un échalas débraillé est monté. Il traînait une multitude de bagages, des sacs publicitaires informes, impossibles à porter sans se les flanquer dans les tibias. Il a pressé la touche du 58e, sur un des sacs, j'ai lu : Canal Plus, sur un autre : Aéroports de Paris, j'en ai déduit qu'il était français. Vu qu'il lui a bien fallu vingt étages pour caler ses pieds et libérer ses mains, il n'a levé le nez qu'aux alentours du 33e ou 34e, juste avant que l'ascenseur n'amorce sa décélération. On s'est regardés et il a souri. La blancheur de ses dents a claqué dans la cabine. Il portait des Ray Ban Wayfarer à verres polarisés, je n'ai donc pas vu ses yeux, et il n'a pas prononcé un mot, n'empêche, j'ai éprouvé un vertige sidéral. L'instant d'après, j'étais en apesanteur. Au 48e, il a esquissé une moue de regret. J'ai fait un pas en avant. Je sentais son regard dans mon dos, il agissait sur moi comme un aimant, j'ai dû lutter pour franchir les portes coulissantes.

C'est arrivé exactement comme ça.

Je ne sais pas comment j'ai réussi à regagner ma chambre. J'étais tellement sonnée que je me suis trompée de sens en sortant de l'ascenseur. Au lieu de tourner à droite, j'ai pris à gauche et j'ai dû faire le tour complet de la travée pour rejoindre la 4817. J'ai marché comme une automate jusqu'à la baie vitrée, la vue était bouchée par un brouillard opaque. Je dégoulinais malgré la clim, j'étais abattue et oppressée. Hantée par le sourire du Français. Et j'avais beau argumenter, me répéter que j'aimais Lorenz, c'était plus fort que moi, je me projetais mentalement dix étages au-dessus. J'ai senti des fourmillements dans ma nuque, je me suis allongée sur le lit, et j'ai songé *Du calme, Anna. Détends-toi. Tu es sur les nerfs depuis ton arrivée.* J'ai appliqué ma bonne vieille technique antistress, profonde respiration ventrale, lente expulsion de l'air par la bouche. Ça n'a pas ralenti les pulsations dans mes tempes. Au contraire. J'ai mis mes symptômes sur le compte de la fatigue du voyage. Je ne crois pas au coup de foudre. Il m'est arrivé d'éprouver des attirances fugitives pour des inconnus, j'ai déjà été émue par leur physique ou par la sympathie qu'ils dégageaient. Tout le monde a vécu ce genre de trouble qui vous embarque en un instant dans un fantasme éphémère. Cette impression de passer à côté d'une rencontre. On fait un bref bilan de sa situation sentimentale, on dresse un inventaire sévère de ses griefs et de ses frustrations, mais on ne court pas pour autant derrière le type : « Hé, oh ! on est faits l'un pour l'autre, vous avez un moment pour qu'on en discute ? » D'autant qu'avec Lorenz j'ai tiré le bon numéro. En dix ans, je n'ai jamais éprouvé de désir pour un autre homme. Je ne tire aucune vanité de ma fidélité. La perspective de vieillir à ses côtés est de loin, pour moi, l'option la plus exaltante.

— Dans ta vie précédente, me charrie mon amie Magda, tu as dû être une oie du Canada.

La comparaison avec ces couples d'oiseaux monogames me convient tout à fait. Quand l'un meurt, l'autre ne le remplace pas.

Je n'ai pas de mérite, Lorenz a un physique à tomber. Il est tendre, raffiné, et c'est un artiste. Il est iconographe pour un éditeur zurichois, il illustre des ouvrages spécialisés sur la montagne et conçoit les couvertures, mais il aurait pu faire une carrière de peintre. Il croque des scènes sur le vif, des badauds devant les vitrines, des ménagères faisant le marché, des consommateurs au bar et autres tranches de vie à la Dennis Hopper. Son trait est précis, il saisit les expressions des quidams à la perfection, leur joie, leur ivresse, leur mélancolie, il est capable de restituer toute la palette des émotions humaines et il a un vrai talent de coloriste. Ça ne l'incite pas à dépasser le stade du hobby en la matière. Il dit que son statut de salarié d'une grande maison lui va et qu'il n'éprouve aucune frustration. Quand je le pousse à au moins envisager une exposition, il répond :

— Je n'ai pas d'autre ambition que de t'aimer, Anna.

Entre nous, l'exaltation du début ne s'est jamais tarie, au contraire. On est tous les deux casaniers, on a tendance à s'enfermer dans une bulle. Trop, aux dires de Magda, qui est psy. Elle juge notre conduite pathologique.

— Vous vivez comme des ermites, Anna. Vous vous coupez du monde.

— On se suffit à nous-mêmes, Mag. On n'aime pas sortir.

— Tu n'étais pas comme ça du temps de Hans. Vous faisiez sans arrêt la nouba.

— J'étais jeune.

— Merde, Anna, tu n'as que quarante piges !

Je suis bien à la maison. Lorenz et moi, on a soigné l'ambiance. Notre appartement reflète notre goût commun pour le style colonial. La cuisine ressemble à un comptoir des Indes, les ustensiles sont rangés dans des commodes à épices et la chambre est tapissée de soie pourpre. On dort dans un lit à montants qui vient de Pondichéry, on a des chevets en teck, des lampes hublots de bateau et des malles de voyage en guise d'armoires. Le week-end, on écume les salles des ventes à la recherche d'affiches anciennes de la White Star. Mag trouve la déco vieillotte.

— Avant, tu adorais la nouveauté, elle dit.

— Lorenz est ma nouveauté en tout, je réponds.

Avec lui, je redécouvre le monde. Je n'aime que les endroits où on va ensemble. On a « nos » villes, Mayence, Bayreuth, Lübeck, Hambourg, « nos » îles, Rügen ou Hiddensee, « notre » plage, Ostseebad Binz sur la mer Baltique. Et quand on est séparés, je ne vois les choses que comme des choses à lui raconter. Je n'ai pas le souvenir ne serait-ce que d'une émotion avec les hommes qui l'ont précédé. Magda me bassine avec le syndrome de Korsakoff. Elle me décrit ses patients que la drogue ou l'alcool a rendus 100 % amnésiques.

— Anna, tu ne peux pas imaginer le chaos qu'est leur vie, c'est comme si on avait effacé leur disque dur. Quand ils sortent de chez eux, ils sont infoutus d'y retourner. Ils oublient leur adresse. Le nom et le numéro de leur rue. Même s'ils ont toujours habité là, ils ne se repèrent pas. Ils reconnaissent la boulangère, ils commandent leur pain et des gâteaux sans problème, ils alignent la monnaie exacte, mais, une fois sur le trottoir, ils sont complètement paumés. Le pire, c'est que vus de l'extérieur, ils ont l'air tout ce qu'il y a de normal. Ils sont capables de soutenir une conversation brillante et sensée. Mais un truc est pété au niveau de leur thalamus, c'est physiologique, du charabia d'experts médicaux, trop compliqué à t'expliquer. N'empêche, quand ils me consultent, il m'arrive de penser à toi.

Elle rit en disant ça, mais je la sens à la limite de l'inquiétude. Et elle tient peut-être le bon diagnostic. Je suis peut-être atteinte de son fameux syndrome de Korsakoff.

J'ai allumé la télé, je suis tombée sur Larry King, comme d'habitude, il en faisait des tonnes. Il portait ses sempiternelles bretelles, ce jour-là, il les avait choisies vertes et il bombait le torse en roulant des yeux derrière ses lunettes énormes. Dès qu'il a prononcé sa fameuse phrase : « *Don't go away* », j'ai zappé. C'était le même cirque sur toutes les chaînes. De la pub, de la pub, de la pub. McDonald's, Coca-Cola, des salves de spots pour des assurances vie, santé, obsèques, ou des cassettes vidéo sur les exploits des Lakers. HBO proposait un nanar avec Steve Martin dans le rôle d'un père hystéro. J'ai éteint et envisagé de déballer ma valise. Je n'étais pas motivée. « Anna, j'ai dit à voix haute, bouge-toi. » Impossible. Je me sentais harassée, comme si je portais une charge écrasante sur les épaules. J'ai ouvert le minibar. Coup de bol, il était bien fourni en Budweiser. J'ai décapsulé une canette et grappillé des pop-corn. Malgré toutes mes tentatives pour m'occuper l'esprit, mes pensées revenaient toujours au Français de l'ascenseur.

Je n'ai pas fermé l'œil de la nuit, et, le lendemain, je me suis réveillée groggy. J'ai pris une douche rapide, avalé un thé et à peine touché aux muffins. Je devais être à l'*International Broadcast Center* à 8 heures. C'était à cinq minutes à pied du *Westin*. On m'avait prévenue que la température du bunker avoisinait les douze degrés, ce qui était fâcheux quand on arrivait en sueur du dehors. Une angine était à peu près ce qui pouvait m'arriver de pire. Dans mon métier – je suis interprète –, la voix est un outil précieux, j'imaginais les dégâts qu'occasionnerait une différence subite de trente degrés sur mes cordes vocales. C'est donc le cou emmitouflé dans un épais cache-col que je me suis présentée au studio de la RDA.

Je n'ai pas vu le Français, ce matin-là, et ce n'est pas faute d'avoir traîné dans les couloirs. Je savais que c'était un fumeur, à cause des Lucky Strike. La cafétéria était le seul endroit où on pouvait griller une clope. J'ai passé des heures vissée au bar. Je ne me souvenais pas précisément de ses traits. Ses yeux ? Ils étaient cachés derrière des verres fumés. Il portait des cheveux mi-longs. Plutôt châtains. Il était grand. Dans les 1, 87 mètre. Plutôt mince. À part ça, mystère. Mais s'il apparaissait, j'étais certaine de le reconnaître.

Pour les traductions simultanées, je devais travailler en pool avec un confrère américain. Ted Demsey. Il était du Mississippi et il avait fait ses études à Francfort, ce qui n'est pas banal pour un Sudiste. C'était une grosse tête, surtout en littérature allemande. Il m'a fait d'emblée l'apologie de Friedrich von Schiller, Hermann von Keyserling et Oswald Spengler. Je l'ai tout de suite arrêté. Je n'aime que les écrivains américains. Faulkner, Styron, Chester Himes, Carson McCullers, Tennessee Williams et Truman Capote. Ted les exécrait. Il a dit qu'ils avaient brossé un portrait dégradant de sa région natale et qu'à cause d'eux les Sudistes passaient pour des tarés aux yeux du monde entier. Ce n'est pas faux. En venant à Atlanta, je m'attendais à tomber sur les petits frères de Benji, le héros arriéré du *Bruit et la Fureur*. Je l'ai questionné à propos des églises baptistes noires qui brûlaient, c'était à la une des journaux, il s'est braqué. Selon lui, le Ku Klux Klan n'existait plus, c'était de la désinformation de la part de la presse yankee. L'emploi du terme « yankee » en disait long sur le mépris qu'il éprouvait pour les Américains du Nord. Je me demandais ce que je fichais là, à écouter ses théories nationalistes, j'étais pressée de rentrer à l'hôtel, au cas où je reverrais le Français. Ça me paraissait impossible. Les rues du centre étaient noires de monde, les gens étaient agglutinés les uns aux autres, quasiment réduits à faire du surplace, il n'y avait pas une chance sur un million pour que je le retrouve dans cette foule.

C'est pourtant ce qui s'est produit.

Je suis tombée sur lui en pleine Peachtree Street. La rue de Margaret Mitchell. Il a pilé devant moi. On s'est reconnus tout de suite. Il y a eu une coupure de son subite dans la plus grande artère d'Atlanta. Son sourire l'éclairait de bout en bout. J'ai dit « Hello ». Pas de réponse. À son expression, j'ai compris non seulement que lui aussi avait nourri l'espoir de me revoir, mais qu'il avait dû évaluer les probabilités d'une telle rencontre à un peu moins de zéro.

— Encore vous, il a dit.

J'ai répondu en anglais que j'étais désolée, je ne parlais pas français. Il a aussitôt traduit : « *You again.* »

L'intonation était claire. Il paraissait à la fois étonné et ravi. Je suis restée clouée, les bras ballants.

— Vous êtes américaine ?

— Allemande.

— Allemande ?

Pendant un quart de seconde, il a eu l'air catastrophé.

— Et alors ? j'ai fait.

— Alors rien. Excusez-moi… c'est-à-dire… vous ne faites pas allemande.

On était plantés sur la chaussée, bousculés par une foule piaillante. Il m'a tendu son paquet de Lucky, j'ai dit « Non merci, je ne fume pas ». Là-dessus, je n'ai rien trouvé à ajouter. On se regardait, point à la ligne. Le silence a duré entre dix secondes et mille ans, je ne sais pas. Autour de nous, tout était flou. Ted m'a attrapé le bras. « Anna, ça va ? » Ça n'allait pas du tout, j'étais au bord du malaise. J'ai dit « Bye bye » au Français et j'ai mis le cap sur le *Westin.* C'était ça ou m'évanouir dans la cohue. Ted m'a soutenue jusqu'au lobby.

— Tu veux que je t'accompagne jusqu'à ta chambre ?

Il a évoqué la chaleur d'Atlanta. Les 90 % d'humidité dans l'air. « Quand on arrive d'Europe, on a l'impression d'étouffer. Ça passe au bout de deux ou trois jours. »

J'ai dit « Ne t'en fais pas, ça ira ».

Dans l'ascenseur, je me suis retenue pour ne pas hurler. *Idiote, idiote, idiote,* j'ai songé, *depuis hier, tu ne penses qu'à ce type, tu n'attends qu'une occasion de te retrouver nez à nez avec lui, et ça se produit. Et non seulement ça se produit, mais il te dit « Encore vous », preuve qu'il s'est souvenu de toi, si ça se trouve, il est dans le même état que toi depuis hier, il ne pense qu'à toi. Il te cherche dans toute la ville. Et toi, tu prends la fuite. Tu le laisses en plan sans une explication, imbécile que tu es, triple imbécile !*

En entrant dans ma chambre, j'ai senti ma vie se déliter. J'étais de plus en plus oppressée. Peut-être à cause du brouillard qui collait à la baie vitrée. On aurait dit qu'une balle de coton venait de crever contre la tour. On ne distinguait rien à travers. J'ai allumé CNN. L'écran affichait un large bandeau : « BREAKING NEWS : VOL 800 DE LA TWA ». Le New York-Paris venait de se crasher dans l'Atlantique avec 230 passagers à bord. La chaîne diffusait les images des débris sur l'océan, des bateaux patrouillaient à la recherche de survivants. L'aéroport JFK était bondé de reporters. On avait bouclé le hall d'embarquement et des haies de policiers protégeaient le défilé des familles. On voyait affluer des petits groupes de fantômes flageolants au visage dévasté. Je me suis demandé ce que j'aurais éprouvé à leur place. Comment j'aurais réagi si Lorenz était monté dans ce Boeing et que j'aie attendu la nouvelle improbable de sa survie. Est-ce que j'aurais cru au miracle ? Je ne voulais pas y penser. La mort de Lorenz ne faisait absolument pas partie des possibilités.

J'ai songé à l'appeler, mais il était 3 heures du matin à Munich. Un appel nocturne risquait de l'inquiéter. D'autant qu'à cause du décalage horaire il n'était certainement pas encore au courant de la catastrophe. J'ai entrepris de vider ma valise et de ranger mes affaires dans la penderie. Entre deux piles de tee-shirts, je suis tombée sur une photo en noir et blanc d'Humphrey Bogart et Lauren Bacall échangeant un regard passionné. Une scène du *Port de l'angoisse*, le chef-d'œuvre d'Howard Hawks. Au dos, Lorenz avait écrit, en anglais : « *If you want anything, just whistle.* » « Si tu as besoin de moi, tu n'as qu'à siffler. » La réplique cultissime de Marie à Steve, les personnages du film. C'était du Lorenz tout craché. À chacune de nos séparations, il glisse des messages d'amour dans mes bagages. Des cartes postales, des portraits d'acteurs et d'écrivains ou des croquis au fusain de personnages solitaires, un homme assis sur un banc, debout à la barre d'un bateau ou marchant en plein désert, il dit que ce sont des métaphores de lui-même quand je suis loin. Dessous, au lieu de son nom, il signe toujours « ton mari ».

J'ai placé le cliché en évidence sur ma table de nuit et je me suis remémoré la fameuse scène…

« Vous savez siffler, Steve ? Vous rapprochez vos lèvres comme ça et vous soufflez ! »

Je me suis plantée devant le miroir, j'ai arrondi ma bouche et expiré l'air de toutes mes forces. Je n'ai réussi qu'à produire un couinement ridicule. J'ai senti des larmes me piquer les yeux. *Lorenz*, j'ai songé, *est-ce que, si je m'appliquais suffisamment, mon sifflement te parviendrait par-dessus l'océan ?*

Je ne sais pas pourquoi, j'avais l'impression d'être observée depuis l'extérieur par un œil rouge entouré de cercles blancs et noirs. Ça me rappelait quelque chose, mais quoi ?

C'était le logo des Lucky Strike, les cigarettes du Français.

3

SAM

Après avoir rencontré Anna dans Peachtree Street, j'étais d'une humeur de chien. J'avais beau mettre ça sur le compte du décalage horaire, je savais que j'étais tombé sur un os. Je ne pensais qu'à ce foutu 48e et aux onze portes de la travée, de la 4800 à la 4810. Derrière l'une d'elles, il y avait la fille que j'aimais. Ouais. Je l'avais croisée deux fois et je l'avais dans la peau. Un truc de dingue.

En même temps, je me disais que c'étaient des foutaises. Une aberration mentale due au cagnard. À cette saloperie de chaleur. On ne pouvait pas respirer dans cette putain de ville. Il n'y avait pas un gramme d'oxygène dans l'air. Deux jours que j'étouffais. Marcher dehors était un supplice et, à l'intérieur des bâtiments, on se gelait. Cette perpétuelle alternance de chaud et de froid devait avoir des effets sur le système. Le cerveau en prenait forcément un coup. Ça foutait le bazar dans les idées comme après une insolation. Il y a des gens à qui ça file des hallucinations. Ils voient des trucs imaginaires et ils se mettent à raconter n'importe quoi. C'était ça, mon problème. J'avais chopé un coup de chaud. Cette fille n'était sûrement rien d'autre qu'un symptôme d'insolation. D'ailleurs, je n'étais pas excité sexuellement. Je n'avais même pas eu d'érection matinale. Faut dire, ma piaule, c'était le pôle Nord, des stalactites dégoulinaient du plafond. Allez bander dans ces conditions…

N'empêche, je me demandais ce que faisait mon symptôme, à cette heure-ci. Est-ce qu'elle était à l'hôtel ?

Je l'imaginais en petite culotte dans sa salle de bains avec une serviette humide sur la tête. *Calme, Sam*, je me disais. *Fais pas le con. Tu te vois en train d'aimer deux nanas à la fois ?*

Cinq minutes après m'être traité de branque, je l'ai appelée. Elle a décroché à la deuxième sonnerie.

Quand je me suis annoncé, « le Français de l'ascenseur, on s'est croisés tout à l'heure dans Peachtree Street », il y a eu un silence au bout du fil. J'ai répété deux fois *allô*.

— Comment vous avez fait ? elle a dit.

— Comment j'ai fait quoi ?

— Comment avez-vous trouvé mon numéro de chambre ?

J'ai répondu que je ne le connaissais pas, j'avais appelé la réception et demandé qu'on me la passe. Nouveau blanc sur la ligne.

— Comment connaissez-vous mon nom ?

— N'est-ce pas celui qui est écrit sur l'accréditation que vous portez autour du cou ?

Elle a éclaté de rire.

— Sur la mienne, j'ai dit, c'est écrit Sam. Est-ce que vous êtes libre pour dîner ?

En réalité, en anglais, ça n'a pas dû sonner aussi clairement, je me suis embrouillé dans les tournures, mais bon ! elle a pigé.

— Je viens à peine d'arriver à l'hôtel, elle a dit.

Elle a marqué une pause.

— Est-ce que dans une demi-heure, ça vous irait ?

— Dans une demi-heure au lobby, j'ai répondu, et j'ai raccroché.

J'avais une demi-heure pour remettre de l'ordre dans ma tignasse et enfiler une chemise. J'ai retiré mon jean et vidé mon sac, *merde ! toutes mes fringues étaient froissées, est-ce que j'avais le temps d'appeler la gouvernante ?* J'ai appuyé comme un cinglé sur une touche avec une bonne femme de dessinée. J'ai poireauté un siècle avant que ça décroche et un deuxième pour entendre frapper à ma porte. Je suis tombé nez à nez avec une Black obèse qui ne devait pas avoir beaucoup plus que 2 de tension. Je l'ai suppliée de me repasser « *a shirt very very quickly* ». Ses yeux ont roulé dans leurs orbites comme des billes de flipper, elle a renversé la tête en arrière et elle est partie d'un fou rire à me crever les tympans. Sur le coup, j'ai pas pigé ce qu'il y avait de si marrant, jusqu'à ce que je réalise que j'avais les burnes à l'air. En retirant mon froc, mon slip était resté dedans. Je lui ai fourré la chemise dans les mains et j'ai pris l'air le plus émouvant possible, « *Please, please, I have a very very important rendez-vous* ». Elle a gloussé « *yes* » sans bouger son gros cul d'un millimètre, j'ai dû me retenir à mort pour ne pas lui fracasser la tronche. Merde, qu'est-ce qui m'arrivait ? J'ai regardé l'heure. 21 h 13. La demi-heure était bien entamée. J'ai commencé à compter dans ma tête, un, deux, trois… jusqu'à soixante. Je ne lâchais pas l'écran à cristaux liquides des yeux. Les heures et les minutes étaient séparées par deux petits points verticaux qui clignotaient, c'était soûlant.

J'arrivais pas à me concentrer sur un truc précis, ni à rester assis plus de dix secondes. Je faisais des huit dans la pièce en triturant la télécommande, je zappais d'une chaîne à l'autre sans m'attarder, les programmes américains, c'est de la daube pour arriérés. Je suis finalement tombé sur CNN et j'ai pris un coup de poing à l'estomac. Un Boeing venait de se casser la gueule au-dessus de Long Island. J'ai eu une vision cauchemardesque des passagers dans la cabine au moment où le zinc a décroché. L'avion allait à Paris, il devait y avoir un max de Français à bord. J'ai eu une pensée pour Betty, à cette heure-ci, elle dormait. Elle allait salement flipper au réveil.

J'avais des crampes dans les mollets, la mâchoire crispée et des fourmillements dans les phalanges. Je faisais des moulinets avec les bras et je me balançais d'un pied sur l'autre, comme si j'étais en train de sauter à la corde.

Si on m'avait regardé derrière une vitre sans tain, on m'aurait pris pour un barjot, ou, au minimum, un type atteint du syndrome de Tourette. En tout cas, pour quelqu'un qui avait de gros, gros problèmes.

21 h 38, la grosse Black ne donnait toujours pas signe de vie.

À 21 h 42, j'ai craqué, j'ai enfilé un polo Lacoste à peu près potable et j'ai appelé l'ascenseur. J'ai déboulé dans le hall à 21 h 47 précises. Anna était là et ça m'a sidéré.

Pendant la demi-heure, j'en étais presque arrivé à douter de son existence. Je me faisais l'effet du fantôme de *Ghost.* La scène où Patrick Swayze caresse la tête de Demi Moore. Elle, elle ne sent rien, elle ne le voit pas, forcément, il est invisible. Malgré ma certitude d'être transparent, Anna m'a vu, la preuve, elle s'est dirigée droit vers moi. Sa façon de marcher à ma rencontre en sautillant dans sa petite robe courte a achevé de me rendre marteau. Je voulais cette fille au point que c'en était douloureux. J'aurais pu la plaquer contre un mur en plein milieu du hall, oui, je jure que j'aurais pu. Au lieu de ça, je suis resté scotché devant elle, muet comme un marlin.

Elle a souri, j'ai dit « Salut, on va où ? » C'était con et banal. Elle a répondu qu'elle ne savait pas, c'était la première fois qu'elle venait à Atlanta. J'ai dit que moi aussi. J'aurais dû me rancarder sur les restaus du coin, mais j'avais été pris de court. Je lui ai proposé le *Hard Rock Café.* J'avais aperçu l'enseigne, les lettres marron sur fond orange, depuis ma fenêtre du 58e. Elle a fait la moue.

— Je n'aime pas ce genre d'endroit.

— Vous préférez manger français ? j'ai dit.

C'était un coup de poker, mais j'avais vaguement entendu parler d'un bistrot près du *Westin.* Restait à le dénicher. J'ai demandé au planton, un colosse noir qui devait chausser du 56, où se trouvait *the French restaurant.* Bingo ! il connaissait. En revanche, j'ai pas pigé où il faudrait tourner en sortant de l'hôtel, ni à combien de *blocks* c'était. Anna a dit que c'était normal, les Sudistes avaient un accent spécial.

— Vous avez remarqué comment ils prononcent Atlanta ? *Aidlan'da.* D'un côté, c'est musical. Plus doux que l'accent new-yorkais.

Ne remettant pas l'accent new-yorkais, je me suis contenté de hocher la tête.

— À propos de New York, vous avez écouté les infos ? elle a demandé.

Je ne suis pas une flèche en anglais. Je lui ai avoué que je n'avais pas tout pigé aux causes du crash.

— On ne les connaît pas encore, elle a dit. On sait juste que ça s'est produit vingt minutes après le décollage.

Elle a frissonné. On pensait à la même chose. On était arrivés la veille par les airs.

— C'est incompréhensible, elle a soupiré. D'autant que les Boeing 747 ont la réputation d'être les avions les plus sûrs.

— Ouais. Mais le gars qui a conçu le *Titanic* l'avait bien déclaré insubmersible.

— Vous êtes déjà allé à New York ?

— Oui. Ça fait un bail. C'était en 77. Le 16 août. Je m'en souviens parce que c'était le jour de la mort d'Elvis Presley. Dans l'aéroport, les gens pleuraient et il faisait une chaleur à crever.

— C'est une ville très humide l'été. Il faut y aller en automne.

J'ai pensé que, quelle que soit la saison, les passagers du vol 800 n'auraient jamais dû y foutre les pieds.

Le *Bistrot* était le dernier de la rue et plein à craquer. La clientèle était française, ça se voyait tout de suite. Surtout, ça s'entendait. Une tablée de balourds éméchés braillait *Nini peau'd'chien.* J'ai eu une véritable bouffée de haine pour mes compatriotes.

— Une table pour deux ? a beuglé un serveur.

J'ai dit « Oui, tranquille, si possible ». Il m'a passé un petit boîtier.

— Prenez ça et allez au bar, quand ce sera votre tour, on vous bipera.

J'ai regardé l'engin. Une sorte d'étui rectangulaire en plastoque. C'était quoi, ce bazar ?

— Quand vous le sentirez vibrer, c'est que la table sera prête.

En même temps, il levait les yeux au ciel comme s'il avait affaire à un vrai naze. Quel système de cons, j'ai pensé. Filer des vibreurs aux clients, on voit tout de suite la classe. J'ai poussé Anna vers le bar avec le plus de décontraction possible, mais au fond, je bouillais.

— Vous buvez quelque chose ? a demandé le loufiat.

J'ai commandé du pouilly, il n'y en avait pas. À la place, on nous a servi un muscadet madérisé, je m'apprêtais à batailler pour qu'on nous change la bouteille quand Anna a posé sa main sur mon bras. Elle a dit que c'était pas grave, on était en Amérique. Ils n'étaient pas très fortiches en vins. Sauf en Californie. Le contact de sa peau m'a électrisé, elle a dû le sentir, car elle s'est mise à rire nerveusement.

— Vous ne m'avez pas dit ce que vous faisiez à Atlanta.

— Du reportage. Et vous ?

— Je travaille pour la télévision allemande en tant que traductrice. Contrairement à vous, je vais rester bouclée à l'IBC pendant toute la durée des Jeux.

— Vous aurez bien un peu de temps pour aller sur les sites…

— Du temps, mais pas les accréditations nécessaires.

— On a les mêmes !

— Pas du tout.

Elle m'a montré son carton.

— Ne regardez pas la photo, je suis affreuse.

On a ri au souvenir de la séance. Le centre d'accréditations étant situé à la sortie de l'aéroport, le comité organisateur nous avait cueillis dès notre descente d'avion. Il fallait voir les hordes de zombis de toutes les nationalités, abrutis à la fois par le vol, le décalage horaire et la fournaise, conduits en troupeau par des filles au sourire exagéré qui nous serinaient des *Welcome* dégoulinants. Le résultat se lisait sur les clichés : on avait des expressions hébétées de lapins pris dans des phares. Anna a pointé mon sésame.

— Vous voyez ce signe ? (Elle désignait le 8 horizontal qui symbolise l'infini.) Il signifie que vous pouvez aller partout. Il ne figure pas sur le mien.

— Je peux vous dégotter des billets pour l'épreuve de votre choix. Ça vous dirait de voir gagner Marie-José Pérec ?

— Vous dites « gagner » parce qu'elle est française ?

— Non. Parce que c'est une championne. On parie qu'elle remportera le doublé ? Le 200 et le 400 mètres ?

— Quel podium ?

— L'or dans les deux disciplines, j'ai fait. Et deux records olympiques.

— Que faites-vous de Cathy Freeman et de Merlene Ottey ? elle s'est esclaffée, preuve qu'elle en connaissait un rayon en athlétisme.

— La Gazelle va les semer comme qui rigole ! j'ai répondu, avec un toupet de commissaire.

J'étais peinard, il n'y avait pas d'Allemandes dans la catégorie. Après quoi je n'ai rien trouvé à ajouter. J'éprouvais un sentiment de gêne croissant, j'avais une boule de billard dans le larynx et je sentais des picotements dans mes mâchoires.

Coup de bol, à ce moment-là, le boîtier infernal s'est mis à soubresauter et on nous a désigné un coin à peu près calme. L'étude du menu m'a permis de décontracter mes maxillaires et mes tentatives pour traduire « céleri rémoulade » et « poireaux vinaigrette » en anglais m'ont ramené à une réalité moins fantasmatique.

Le dîner fut tout de même un chouïa tendu. On évitait les sujets personnels. Au dessert, on ne savait rien de nos conditions sentimentales respectives, ce qui indiquait bien que notre relation n'était pas placée sous des auspices purement amicaux. En vérité, on était à cran. On gambergeait comme des malades sur l'incongruité de la situation. Anna avait quelqu'un dans sa vie, elle portait une alliance. C'est elle qui a mis la question sur le tapis. Brusquement, alors qu'on en était au café, elle a dit qu'elle était mariée.

— Des tas de gens sont mariés, j'ai répondu.

— Oui, mais, pour moi, cet engagement a un sens.

À son ton, j'ai compris qu'il s'agissait d'une mise en garde.

— Je suis marié aussi, j'ai dit. Et je ne prends pas les sacrements à la légère.

Ma voix, que j'avais voulue ferme, s'est enrayée sur la dernière syllabe et le silence qui a suivi en disait long sur nos préoccupations véritables.

— Je n'ai jamais trompé Lorenz, elle a poursuivi.

Le petit verni s'appelait Lorenz. C'était une information.

— Il n'est pas question que j'aie une aventure, elle a soufflé.

Je pigeais parfaitement ce qu'elle voulait me signifier, n'empêche, sa franchise m'a dérouté. J'ai hésité une seconde entre feindre l'étonnement ou me fendre la poire. Jugeant ces deux attitudes humiliantes pour Anna, je me suis contenté d'acquiescer. Elle a exprimé sa gratitude par un sourire.

— Autant jouer franc jeu. Il m'est déjà arrivé de dîner avec un inconnu, je voyage beaucoup... mais dans notre cas... dans notre cas...

Elle a détourné la tête, elle semblait affreusement gênée.

— Dans notre cas, quoi ? j'ai demandé.

— Vous savez de quoi je parle. Excusez-moi d'être aussi abrupte.

Elle s'est jetée à l'eau. Elle a dit que depuis la veille dans l'ascenseur ma pensée l'obsédait. C'était plus fort qu'elle, elle avait eu beau essayer de me chasser de son esprit, elle n'y parvenait pas. Elle ne comprenait pas ce qui arrivait, ni ce qu'elle éprouvait pour moi exactement, quel sentiment précis, quand elle essayait de l'analyser, son cerveau s'embrouillait. Sa seule certitude, c'est qu'elle ne voulait pas s'engager sur le terrain de l'adultère, ce n'était pas dans sa nature et elle aimait son mari. Si elle avait décidé de jouer cartes sur table, c'est qu'elle comptait sur moi pour l'aider, son aveu était un appel au secours, un véritable SOS. J'ai dit que j'étais aussi sonné qu'elle et pour les mêmes raisons.

— C'est la première fois que j'éprouve une attirance pareille pour une femme, j'ai dit. Ça ne m'est jamais arrivé depuis Betty.

Je ne lui ai rien caché pour Betty, je lui ai dit qu'on formait un couple sensas et uni.

— Je ne trompe pas ma femme, j'ai précisé.

Et, d'une certaine manière, c'est vrai. Ce n'est pas tromper que passer une nuit, une seule, avec une fille. Comment ça s'appelle, je ne sais pas, mais c'est pas de l'infidélité. Avoir une liaison, mentir, ruser, oui, c'est moche, mais quand on est loin de chez soi, coucher avec quelqu'un qu'on ne reverra pas, où est le mal ? Évidemment, je n'ai pas abordé la question avec Anna. Les femmes sont incapables de saisir ce genre de nuances, même celles à qui c'est arrivé.

Le problème, avec Anna, c'est que si j'engageais une relation avec elle, alors oui, il s'agirait d'adultère. J'étais assez toqué d'elle pour ne pas me faire d'illusions là-dessus. Je regardais Anna, Anna me regardait, et on essayait de repousser les fantômes de Betty et Lorenz, qui semblaient plus présents que s'ils avaient été à notre table. On se demandait, *Mais comment c'est possible, comment on peut perdre les pédales à ce point, alors qu'on a déjà décroché le pompon ?*

— J'aurais préféré que vous preniez un autre ascenseur, elle a dit.

— Eh bien, moi, non ! j'ai répliqué. Au contraire, je m'estime verni d'être monté dans celui-là. Et, quoi qu'il arrive, je ne le regretterai jamais.

On est rentrés en silence à l'hôtel. Dehors, la foule n'avait pas diminué, pourtant, on marchait plus vite qu'à l'aller. On avait hâte de quelque chose, je n'aurais pas su dire quoi. Est-ce qu'on était pressés de se séparer ou, au contraire, de se retrouver ensemble dans une chambre ? Après la discussion qu'on venait d'avoir, je n'étais plus en mesure d'envisager une perspective logique. Une fille dont vous êtes mordu vous avoue qu'elle aussi et, simultanément, vous demande de tirer un trait sur la question, ça n'arrive pas tous les jours. Je songeais qu'il se passerait ce qui devait se passer, un point c'est tout. C'est donc avec une relative décontraction que je m'apprêtais à prendre l'ascenseur avec Anna. De son côté, elle hésitait.

— On ne devrait pas monter dans le même, elle a soupiré.

Sur le coup, j'ai pris ça pour une marque de défiance à mon égard. J'ai promis qu'elle n'avait rien à craindre, je ne la toucherais pas, en tout cas, pas sans son consentement, mais, à son air agacé, j'ai compris que c'était elle, qu'elle redoutait. Elle est quand même entrée à ma suite dans la cabine, mais s'est adossée à la paroi opposée à la mienne, en prenant soin de ne pas me regarder. Elle fixait les chiffres des étages qui défilaient, moi, je ne bougeais pas, j'évaluais la distance qui nous séparait. D'elle à moi, il y avait quoi ? Deux mètres, deux mètres cinquante ? Dans des hôtels de ce gabarit, les ascenseurs sont larges, on peut y tenir à vingt. J'essayais de calculer le nombre de pas qu'il m'aurait fallu pour la prendre dans mes bras, à mon avis, deux auraient suffi.

C'est elle qui les a franchis. Tout à coup, elle s'est avancée vers moi et a posé sa tête contre ma poitrine, comme ça, sans dire un mot.

Quand l'ascenseur a stoppé au 48e, elle n'a pas bougé. Les portes ont mis un siècle à se refermer et, pendant tout ce temps, j'ai prié pour qu'elle ne s'arrache pas à moi, reste, mon amour, ne crains rien. Et cette foutue machine qui ne repartait pas, elle semblait bloquée à ce putain d'étage, comme par un fait exprès. Coup de bol, Anna n'est pas descendue et on a redécollé ensemble. C'était mon ticket pour le paradis.

Une fois dans ma chambre, on s'est embrassés comme des malades. On était dans le noir total mais je n'osais pas allumer. Malgré l'atmosphère glacée – en partant, la femme de chambre avait monté la clim à fond –, j'étais moite. J'avais les lèvres brûlantes, je faisais une poussée de fièvre, j'étais tout môme la dernière fois que ça m'était arrivé. J'ai conduit Anna vers le lit, j'avais peur de tomber dans les vapes, ça aurait été le bouquet. Je me suis effondré sur l'édredon sans lui lâcher la main et elle est restée debout.

— Je ne sais pas ce qui m'a pris, elle a dit. Je ne pouvais pas faire autrement. Je ne pouvais pas te quitter.

Je n'ai pas moufté, j'ai fermé les yeux, dans l'espoir de récupérer. Elle s'est gourée sur le sens de mon silence.

— Tu veux que je m'en aille ?

J'ai gémi que non, pas maintenant, ni maintenant ni *never*.

— Je ne veux pas coucher avec toi, elle a dit. Je regrette. Je n'ai pas les idées en place. Tout ce que je sais, c'est que je veux rester là.

J'ai répondu que je comprenais et que c'était bien comme ça, on allait dormir, on verrait demain. J'ai viré mes chaussures, envoyé valser mon polo et mon pantalon, et je me suis glissé sous les draps. Elle m'a rejoint tout habillée. Elle ne portait pas grand-chose, juste sa robe en coton blanc, mais cette frontière de tissu semblait la rassurer. Elle devait songer que, tant qu'elle n'était pas nue, il n'y avait aucun mal à dormir auprès d'un autre homme que son mari. Je savais que sa réticence ne tenait qu'à ça, à ce Lorenz que j'essayais d'imaginer. Au restaurant, elle l'avait décrit comme un type bien, elle en parlait avec affection, non, le mot ne convient pas, il n'y avait aucun doute sur le fait qu'elle en pinçait à fond pour lui. Je pensais à lui et à Betty, au mal de chien que ça leur aurait fait de nous savoir ensemble dans ma chambre, et je partageais l'angoisse d'Anna.

On n'a pas couché ensemble cette nuit-là, n'empêche, si une fois dans ma vie j'ai atteint le paroxysme du désir, c'est cette fois-là. Rien à voir avec une pulsion érotique. C'était bien pire, un besoin de fusion totale. Je voulais ma peau dans sa peau, nos cellules dissoutes, nos noyaux désintégrés. Je voulais mon souffle dans son souffle et respirer par sa bouche. Je voulais son air dans mes bronches et exhaler son haleine. Je voulais sa salive dans ma gorge et son oxygène dans mes poumons. Je voulais son sang dans mes veines et ses battements de cœur dans mes artères. Je voulais que ses nerfs commandent mes muscles et recevoir des ordres de son cerveau.

Il faut avoir vécu ça, ce truc de dingue, pour piger. C'est pas explicable. Il faut avoir pris cette déflagration de plein fouet. Tout ce à quoi on croyait, qui paraissait immuable, l'amour d'une vie, se disloquer en un rien de temps. Je pensais, *Je sais enfin pourquoi je suis sur terre, pour être ici avec Anna, c'est la seule raison.*

4

ANNA

Je ne sais pas pourquoi je suis montée au 58e. La chambre de Sam était comme un trou noir. Je me suis retenue à la queue de la Grande Ourse qui crevait la baie vitrée. Sam a croisé ses bras autour de ma taille et j'ai basculé sur son torse. Je n'ai pas couché avec lui. J'avais envie, mais non. Je ne pouvais pas. Je ne couche qu'avec Lorenz. On s'est blottis l'un contre l'autre, bouches scellées. On n'a pas échangé un mot. On écoutait le grésillement de la clim et les soubresauts du réfrigérateur, on avait froid et chaud. On a dormi par intermittence.

Je me suis réveillée tôt. Le corps de Sam était zébré par la lumière des filtrasols. Il était appuyé sur un coude et il me regardait. Sa main a effleuré ma cuisse, j'ai remonté le drap sous mon menton et il a enfoui sa tête dans ma nuque. J'ai dit « Tu sens bon. C'est quoi, ton parfum ? » Il a dit « *Cool Water*, de Davidoff ». J'ai dit « Tu habites où ? » Il a dit « À Paris ». J'ai dit « À Paris où ? » Il a dit « À Saint-Germain-des-Prés ». J'ai dit « Tu as des frères et sœurs ? » Il a dit « Oui ». J'ai dit « Ils s'appellent comment ? » Il a dit « Tu parles trop, tu poses trop de questions ».

Je ne voulais surtout pas arrêter. Tant que je parlerais, il ne se passerait rien. J'ai dit que j'avais rendez-vous avec Bernice King, la fille de Martin Luther King. « Sam, tu savais qu'elle était devenue pasteur baptiste, comme son père ? »

Il n'écoutait pas. Il me regardait. Je devinais ce qu'il pensait. Il pensait *Tu veux gagner du temps. Tu ne dupes que toi. Je sais que tu as envie.*

J'ai continué à parler, encore et encore. Il m'a embrassée. J'ai dit « Sam, arrête s'il te plaît, il est quelle heure ? »

Réponse des chiffres rouges sur le réveil digital.

07 : 03.

Je me suis concentrée sur les bruits feutrés du couloir. Sur le vrombissement des aspirateurs et le roulement des chariots du petit déjeuner. J'ai dit « Tu veux que je nous commande un breakfast ? Tu prends quoi, le matin ? » Il a dit « Du café. – Du café avec quoi ? – Avec rien ».

Je lui ai fait remarquer qu'en Allemagne, le petit dèj était plus consistant. Il a dit « Pas chez nous ». En me voyant cocher les saucisses, les pommes de terre sautées, le fromage et les œufs brouillés, il a esquissé une moue écœurée.

— Pas étonnant que les Teutons soient obèses, il a gloussé.

Devant mon expression horrifiée, il a rectifié :

— Je ne parle pas pour toi, Anna.

C'est le mot français « Teuton » qui m'avait fait tiquer. J'en connais le sens péjoratif. Je n'ai rien contre cette ancienne peuplade germanique, mais, dans la bouche de Sam, c'était insupportable. Je savais que certains Français emploient un vocabulaire ignoble pour nous désigner, mais je le pensais réservé à la vieille génération. Je croyais que la chute du mur de Berlin avait détendu les jeunes, et apparemment non.

J'ai appelé le *room service* et énuméré ma liste avec une mine renfrognée.

— Ça va, Anna, arrête de bouder, je retire, il a dit.

Je lui ai tourné le dos et me suis concentrée sur la baie

vitrée. Dehors, il faisait jour. Jour du sud des États-Unis. Lumineux et bouillant, à 7 h 09.

— Anna, s'il te plaît.

Il s'est levé et m'a rejointe à la fenêtre. Il bandait. J'ai caressé son corps, ses épaules larges, son torse lisse, ses cuisses halées, il aurait pu être un athlète des Jeux. Sa colonne vertébrale était un clavier de piano. J'ai commencé à jouer la *Rhapsody in blue* sur son dos, il a frissonné. Son sexe barrait son ventre. J'ai stoppé à la touche lombaire et j'ai retiré mes doigts comme si j'avais touché un poêle. Il a émis un son désapprobateur, claqué un baiser sur ma nuque et disparu dans la salle de bains. Il me manquait déjà.

J'ai écouté ses bruits d'homme derrière la porte. Les hommes ont une façon très sonore de se soulager dans la cuvette des WC et, quand ils prennent une douche, c'est les chutes du Niagara. Sam ne dérogeait pas à la règle. Après s'être brossé les dents, il a craché son dentifrice dans le lavabo et entamé un gargarisme effréné. Je me suis bouché les oreilles. J'ai quand même perçu le ronronnement de son rasoir électrique. Lorenz se rase à l'ancienne avec du gel moussant et un Merkur Solingen en métal chromé, il prétend que, dans la catégorie mécanique, c'est une Rolls. De l'autre côté de la paroi, Sam se tapotait les joues et je l'aimais.

On a frappé à la porte et un serveur a posé un plateau fumant plein à ras bord sur le bureau. J'ai signé la note. Dans la case « Nom », sous la ligne « Room 5806 », je me suis débrouillée pour rendre mon écriture illisible. Au bout d'un long moment, il a jailli d'un nuage de vapeur et s'est ébroué comme un chien mouillé. Il s'était aspergé de *Cool Water*, son parfum m'a piqué les narines, il avait dû forcer la dose. Il s'est planté nu devant moi avec un sourire satisfait. J'étais comme un enfant qui voit un ballon et qui ne peut pas s'empêcher d'en toucher la substance. Je l'ai effleuré et me suis arrêtée au nombril. Ses yeux m'encourageaient à m'aventurer plus bas, j'ai dit « Sam, ton café va refroidir ». Il a soupiré, piqué sa fourchette dans mon assiette et croqué une tranche de bacon avec un air exagérément extatique.

— Bon sang ! Anna, c'est délicieux. Tu vois, j'adopte déjà tes coutumes !

Et il a trempé une saucisse dans sa tasse en poussant de grands « HUM ».

J'ai gémi « Sam, pas la peine d'en rajouter. T'es pénible ».

Il a dit « Je sais, c'est ce que ma femme me répète tous les jours. Oh ! pardon ».

J'ai fait signe que c'était pas grave. Elle avait sûrement raison. J'ai ajouté que Lorenz avait davantage de classe en matière de toasts. On a ri, le malaise était balayé. N'empêche, leur évocation m'a flanqué une crampe à l'estomac.

J'ai récupéré vite fait mes affaires. Mes tennis en toile, ma Swatch Scuba orange, achetée à l'escale de Dallas, mon accréditation, deux dollars et ma clé magnétique. Je suis redescendue dans ma chambre, j'ai regardé mon lit impeccablement tiré. La fille d'étage l'avait préparé la veille. Elle avait replié l'édredon, retourné un coin du drap et déposé un carré de chocolat sur l'oreiller. Je l'ai avalé, il était amer comme pas possible. La boîte vocale du téléphone clignotait. Lorenz avait cherché à me joindre. L'heure de l'appel n'était pas précisée. Je doutais qu'il m'ait appelée au milieu de la nuit. Si c'était le cas, il me faudrait invoquer un prétexte pour ne pas avoir décroché. Un sommeil profond, une défaillance de la sonnerie. S'il venait juste de composer le numéro, je pourrais prétendre que j'étais sous la douche.

Je n'ai pas eu le courage d'écouter son message. J'ai regardé le réveil digital sur ma table de nuit. 08 h 12. J'étais très en retard. Je suis sortie en panique du *Westin*. Sur le chemin de l'IBC, j'ai écouté *Photographs and Memories* de Jim

Croce, j'adore Jim Croce. C'est un chanteur américain, je devrais dire « c'était ». Il a fait deux disques et il est mort. Il s'est crashé en avion, comme Otis Redding et les passagers du vol 800. C'était un colosse brun, frisé, avec une grosse moustache et une bonne gueule souriante. Ce matin-là, à Atlanta, j'ai choisi une chanson en particulier : *Time in a Bottle*. Ça raconte l'histoire d'un type qui rêve de mettre le temps en bouteille, je connais les paroles par cœur. En gros, il dit que s'il avait pu y arriver, il y aurait mis toutes les heures passées avec une fille, parce qu'elle était la seule avec qui il avait envie de traverser le temps. J'ai calé mes écouteurs sous ma casquette, poussé le volume à fond et traversé le parc du Centenaire dans un état second.

L'équipe m'attendait pour l'interview de Bernice King. Le journaliste posait les questions en anglais, Ted les traduisait en allemand et moi, je faisais pareil avec les réponses de Bernice. Le principe paraît compliqué, mais quand on est rodé à l'exercice, ça roule tout seul. La difficulté consiste à ne pas se chevaucher les uns les autres. Pour ça, Ted était au poil. On formait un bon *team*.

J'ai eu un vrai coup de foudre pour cette grande belle fille. Une boule d'énergie. Elle parlait de son père avec tendresse, précisant qu'elle l'avait peu connu, elle était petite quand il avait été assassiné.

— Cinq ans c'est court pour engranger des souvenirs, elle a soupiré. Vous devriez rencontrer ma mère, Coretta. C'est une véritable encyclopédie des droits civiques.

Elle a sorti une photo en noir et blanc de ses parents. Ils avaient une classe pas croyable. Lui, en costume sombre et cravate, un stetson vissé sur le crâne, et elle, en tailleur crème à la Jacky Kennedy. Ils étaient enlacés et souriaient à l'objectif.

— Comment vous les trouvez ? elle a fait.

Le journaliste a remarqué qu'elle ressemblait trait pour trait à sa mère. Elle a acquiescé.

— C'est ce que tout le monde prétend. Même si en réalité, physiquement, elle me met KO.

Elle a esquissé un geste de boxeur en effleurant son menton de son poing fermé et émis une sorte de gong sonore.

— Vous savez, *Mom* s'est rudement démenée après la mort de *Dad*.

S'agissant de personnes aussi mythiques, ces mots « *Mom* » et « *Dad* » étaient presque gênants. On avait le sentiment de violer leur intimité.

— Quatre jours après la tragédie de Memphis, maman était à la tête d'une manif pour les éboueurs noirs victimes de discriminations, vous vous rendez compte ! Elle venait d'enterrer papa et elle est remontée *illico* sur le ring.

Un ange a passé, elle a poussé un soupir résigné.

— C'est comme ça, c'est la vie. La destinée des militants.

Elle a enchaîné sur son job de pasteur et parlé avec conviction de sa foi de chrétienne baptiste. Elle a dit qu'elle était née pour célébrer la parole de Dieu et s'est mise à fredonner les premières mesures de l'*Amazing Grace*.

Amazing grace ! How sweet the sound
That saved a wretch like me.
I once was lost but now am found,
was blind but now I see.

Sa voix avait l'intonation rauque d'Aretha Franklin. Elle avait croisé ses mains sur son corsage pourpre, au niveau de sa poitrine. Quand elle bougeait, ses bracelets dorés tintaient comme des cymbales. Ses doigts bruns étaient ourlés d'ongles laqués incandescents, le soleil bouillant de Géorgie ricochait dessus, on aurait dit une baigneuse de Gauguin.

— Vous aimez le *negro spiritual* ? elle a demandé.

J'ai fermé les yeux. Je l'imaginais à l'office, debout derrière son pupitre, en train de frapper dans ses paumes au rythme de la chorale gospel : *Alleluyah, Alleluyah*... Ça devait envoyer !

Elle a répondu à toute l'interview avec franchise et sérénité. À la question « Pourriez-vous vous marier avec un Blanc ? » elle a dit « Non », sans hésiter. Elle a précisé que ce n'était pas du racisme, elle n'était pas la fille de Martin pour rien, simplement, elle préférait le popotin des hommes noirs. Elle a mimé l'arrondi de cette partie de leur anatomie en passant sa langue sur ses lèvres rouge carmin.

— Je reconnais, elle a gloussé, j'ai un faible pour le derrière charnu des Afro-Américains.

Elle riait très fort en disant ça, n'empêche, on sentait bien qu'elle ne pourrait jamais coucher avec un Blanc.

Après le tournage, je suis rentrée direct à l'hôtel. Le parc du Centenaire était bondé, des touristes et des supporters du monde entier s'effilochaient entre les snacks et les guérites de souvenirs. C'étaient en majorité des Blancs. Étrange pour une ville à forte population noire comme Atlanta. Les autorités avaient pudiquement avoué qu'elles avaient « déplacé » les *homeless*, joli mot anglais pour désigner les SDF. En réalité, des sortes de fourrières humaines s'étaient chargées de refouler les hordes de miséreux en dehors du centre-ville. Les infos locales les montraient, poussant leurs Caddie boiteux au bord des *freeways*. C'étaient tous des Noirs. La plupart étaient dans un état pitoyable, jeunes ou vieux, ils claudiquaient et il leur manquait des dents. Ils noyaient leurs gamelles de ketchup rapiné dans les McDo et enfournaient leur pâtée comme si des chiens errants allaient la leur disputer. Ils quémandaient des faveurs aux journalistes, « Hé ! *man*, file-moi une Marlboro, t'aurais pas un *quarter* pendant qu'on y est ? »

Certains brandissaient des pancartes : « Un dollar pour la fondation Budweiser, s'il vous plaît ». Une façon humoristique de mendier, d'accord, mais qui fichait quand même mal à l'aise. On les avait parqués à proximité d'une décharge, au loin, on voyait fumer des immondices et des nuées de bestioles charognardes bourdonnaient autour. Ça, plus l'odeur, attisée par la chaleur, vous donnait une idée à peu près exacte de l'Enfer de Dante.

« Vous qui entrez ici, perdez toute espérance… »

Malgré leur condition, ils n'avaient pas l'air hargneux. Ils ne criaient pas au scandale devant les caméras. C'était pire, ils étaient résignés. Ils grommelaient que c'était pas grave, c'était provisoire, après les Jeux, ils rentreraient chez eux. Dans les recoins miteux de Peachtree Street où ils avaient toujours vécu. Pas de quoi en faire un plat. Certains ajoutaient en riant qu'il fallait considérer leur séjour au bord de l'autoroute comme des vacances, après tout, on était en été. Ils avaient l'habitude de ce type de diaspora transitoire. On leur faisait le coup à chaque pince-fesse du gouverneur.

— Une huile radine, ils expliquaient, et pfuiiit ! on nous chasse comme des cafards. Ça fait plaisir aux électeurs. Un clodo de moins, c'est un vote de plus. Ça prouve qu'on a du poids dans la démocratie.

Ils s'agglutinaient autour d'une grande baraque à dreadlocks rouge et bleu, qui répondait au prénom de Harley et qui faisait office de porte-parole. Ils le poussaient devant.

— Hé ! *man*, toi qui sais bien causer, raconte à la presse la rafle du 4 juillet !

Le Harley en question se plantait devant les objectifs avec un air crâne en brandissant une béquille en ferraille.

— Messieurs dames, tout d'abord, bienvenue en Amérique !

Il soulevait son chapeau étoilé, aux couleurs du *Stars and Stripes*, la bannière des USA et racontait leur journée nationale de proscrits.

— Le 4 juillet dernier, donc, en cette date de la Déclaration d'indépendance de notre grande nation, mes camarades gueux et moi-même avons été gentiment priés d'aller nous démonter la gueule le plus loin possible de la flamboyante cité qui vous accueille.

Autour, les autres agitaient des drapeaux tricolores en se gondolant.

— Ça, c'est parce que figurez-vous que le 4 juillet 1776, un certain Thomas Jefferson nous a pondu une grosse marrade plus connue sous le nom de Déclaration d'indépendance…

Il détaillait par le menu les grands principes du manuscrit, la rupture avec la Grande-Bretagne, la condamnation de la traite des Noirs, etc., égrenait les noms des cinq représentants du comité responsable du projet. John Adams, Roger Sherman, Benjamin Franklin, Robert Livingston et, bien sûr, celui de l'auteur du manifeste, Thomas Jefferson. Il citait de mémoire des passages entiers de la Déclaration, soulignant les nobles sentiments de ses instigateurs, l'honneur, la patrie, la lutte nécessaire contre l'injustice, en terminant par « et mes couilles sur la commode », ce qui faisait tordre ses compagnons. Autour, les journalistes étrangers prenaient fébrilement des notes. À la fin de son discours, il concluait, hilare :

— Depuis cent ans, donc, mes compatriotes et moi-même fêtons Independance Day en pissant des hectolitres de Budweiser et en gerbant dans tous les caniveaux d'Amérique. À votre bon cœur messieurs dames.

Là-dessus, il faisait tourner son chapeau à grosses rayures dans lequel pleuvaient des billets verts, exécutait une révérence acrobatique et braillait en rameutant son armée de cloches :

— Puisque vous êtes nos hôtes, nous allons vous chanter l'hymne national des États-Unis, mes frères, vous êtes prêts ?

Les boiteux beuglaient « Ouais, *man* ! » et au-dessus de la décharge s'élevait une clameur solennelle et poignante. Les premières notes du *Star-Spangled Banner*, la bannière étoilée. Les mots filtraient à travers les chicots miséreux :

Oh say, can you see by the dawn's early light
What so proudly we hail'd at the twilight's last gleaming ?
Whose broad stripes and bright stars...

Chanté à si peu de distance des podiums, l'hymne américain vous crevait le cœur.

Le *Westin* était dans ma ligne de mire, j'ai mis le cap dessus d'un pas décidé. J'ai essayé de compter les fenêtres jusqu'au 58e. Impossible. Je butais aux alentours du 10e, au-delà, les rambardes se confondaient. Au même moment, Sam était tout en haut et il sondait la foule à ma recherche.

Les détails de la veille tournaient en boucle dans ma tête. Le dîner au *Bistrot français*, le retour au *Westin* et, surtout, dans l'ascenseur, l'attraction terrestre horizontale qui m'aspirait vers Sam. La cabine montait à toute allure, je ne parvenais pas à distinguer les chiffres des étages, tellement les unités filaient. Je n'avais pas lâché le compteur des yeux. Ma raison hurlait. Oublie, Anna. C'est un mirage. Ça n'existe pas. Ce type n'existe pas. J'étais pressée de regagner ma chambre et d'appeler Lorenz. Il était 7 heures du matin à Munich, il devait être levé. J'ai vu s'afficher le 48e et plus rien. Le temps s'est dilaté. Il y a eu un roulement de tambour. Et je me suis mise en marche. Entre Sam et moi, il y avait une distance phénoménale. Des obstacles infranchissables. Le plancher s'enfonçait, des poignets d'acier me tiraient en arrière. J'avais le vent de face, un blizzard glacé, j'ai passé des rideaux de flammes, affronté des troupeaux affolés galopant en sens inverse. Je me suis perdue cent fois, voyageuse extrême sans boussole, je n'ai pas reculé. Au bout, il y avait les bras de Sam. Les portes se sont refermées et on a redécollé, enlacés, jusqu'au 58e.

Je pensais à Lorenz. Il était là. Il avait les yeux grands ouverts, ses yeux d'ambre, découpés dans un morceau de nuit boréale. Je le regardais et j'entendais sa voix contre mon oreille : *Anna, siffle-moi.* Ses mots éclataient comme des bulles sous la mer.

5

SAM

Betty a fini par purger mon sac de voyage qui traînait dans l'entrée depuis mon retour d'Atlanta. Elle a râlé : « Sam, ton désordre est insupportable… tu ne pourrais pas ranger tes affaires de temps en temps ? »

Le problème avec ce sac, c'est que c'est une relique, je ne pouvais pas y toucher. Il a trôné dans ma chambre du *Westin*, j'étais tétanisé rien qu'à l'idée de le bouger. J'ai regardé ma femme tendre la main vers les poignées avec une expression de fin du monde. J'avais les yeux plissés, la bouche ouverte et les mâchoires crispées du gars qui s'attend à un coup de grisou, heureusement, Betty me tournait le dos. Elle a tiré d'un coup sec sur l'étiquette de la Northwest, c'était comme si elle m'avait arraché les tripes. Puis elle a entrepris d'extirper mes tee-shirts. Une odeur de verveine s'est mise à flotter : le parfum d'Anna. Je guettais un signe chez Betty, un trouble ou une contrariété, mais elle n'a rien manifesté. J'étais tellement tendu qu'à ce moment-là j'aurais pu lâcher le morceau. Je me serais libéré, au fond, je ne demandais pas mieux. Tant pis si, dans la circonstance, elle n'était pas la personne la plus appropriée pour me venir en aide. Si elle m'aimait vraiment, elle comprendrait. Après tout, les coups durs font partie de la vie de couple, les gens ne se séparent pas pour autant. Bien sûr, elle tomberait de haut, mais je lui expliquerais. Je trouverais les mots. Je lui dirais que je n'ai jamais songé à la quitter, pas un instant, que je l'aime à crever, que je ne pourrais pas vivre sans elle. Ensemble, on trouverait une solution, oui, on serait plus forts à deux. La vérité, c'est que j'étais à bout, je voulais en finir avec cette situation impossible.

— Tu utilises un nouveau dentifrice ? elle s'est exclamée.

D'une main, elle tenait ma trousse de toilette, et, de l'autre, un tube de Crest largement entamé. Anna avait dû l'oublier dans ma salle de bains. Betty s'est mise à fouiller dans les compartiments, je m'attendais à ce qu'elle brandisse deux brosses à dents.

— Ils ne sont pas chiches, dans ce genre d'hôtel, elle a remarqué. Crest, Ivory, rien que des marques leaders aux États-Unis !

— Comment tu sais ça ?

— Question de métier. Tu n'as jamais entendu parler du savon qui flotte ?

J'ai avoué que non.

— D'un côté, c'est pratique, tu n'as pas à tâtonner d'un bout à l'autre de la baignoire !

Anna utilisait un savon flottant, au moins, c'était une information.

— Tiens, tu as oublié ton eau de toilette…

Je ne l'avais pas oubliée, Anna l'avait emportée.

J'ai toujours mis *Cool Water*, de Davidoff, probablement parce qu'on le trouve dans tous les aéroports du monde en *duty free*.

— J'aime bien, avait conclu Anna.

Le dernier jour, elle avait voulu garder le flacon. C'est à ce moment-là qu'elle avait aspergé mon sac de son parfum.

— Ne t'inquiète pas, c'est léger, ça ne tient pas, elle avait affirmé.

Apparemment, si. Les courants d'air glacés de la soute n'en étaient pas venus à bout.

— Qu'est-ce que c'est que cette carte ? a dit Betty.

Elle reluquait sa trouvaille, une photo noir et blanc : Scarlett O'Hara et Rhett Butler échangeant un baiser passionné. Ma langue s'est chargée de plomb.

— Eh bien ?

— Eh bien quoi ? Je l'ai trouvée à Atlanta. C'est une scène d'*Autant en emporte le vent*. Ils en vendent par milliers à cause de Margaret Mitchell.

— Et que signifie l'inscription, derrière ?

J'ai senti une cascade de sueur dégouliner le long de mon dos. Elle a lu à voix haute : « *Do you really think that everything is going with the wind ?* » Inutile de préciser que je connaissais la phrase par cœur.

— Penses-tu vraiment que tout soit emporté par le vent ? a traduit Betty d'une voix blanche. Sam, qui t'a envoyé ça ?

Anna l'avait glissée sous la porte de ma chambre, après notre deuxième nuit. Sa seule évocation me comprime les boyaux.

— Je ne sais pas ce que ça fiche là, j'ai dit, sur mes gardes. J'ai dû la ramasser à l'IBC, elle devait traîner sur un bureau.

— Mais qui l'a écrite ?

Coup de bol, la carte n'était pas signée.

— Comment tu veux que je sache ? Probablement un Américain !

— C'est une écriture de femme.

— Alors une Américaine.

Visiblement, elle se méfiait. Je l'ai regardée droit dans les yeux.

— Betty, ma chérie, tu ne vas pas me faire une salade pour une connerie pareille ! C'est juste une allusion à *Autant en emporte le vent*... Si t'étais tombée sur une lettre torride, je ne dis pas...

Mon aplomb m'a surpris moi-même. Betty s'est détendue.

— Excuse-moi. C'est vrai, c'est une belle photo. Tu aurais pu m'en envoyer une.

Sur les présentoirs, il y en avait des tas d'autres. Scarlett et Rhett en calèche dans Peachtree Street. Mélanie et Ashley, le jour de leur mariage. L'incendie d'Atlanta. Toutes les scènes du film. Anna m'avait aussi offert une carte de Scarlett entourée de jeunes blancs-becs. Tous les beaux partis de la ville, sapés comme des milords, courtisant la fille O'Hara qui minaudait et faisait sa coquette. Elle était belle et riche. Et elle cherchait l'amour. Une phrase était imprimée au bas : « *So many men, so little time.* » Celle-là était signée. Heureusement, je l'avais laissée au *Westin.* Betty a posé sa tête contre ma poitrine. Mon cynisme m'écœurait.

Là-dessus, elle a brandi un paquet de Life Savers. Je suis fana de ces bonbons américains ronds avec un trou au milieu. Anna m'avait traduit leur nom en français : bouée de sauvetage.

— C'était pour cette raison que c'étaient les bonbons officiels de l'armée américaine pendant la dernière guerre mondiale, elle avait précisé.

Ça m'avait épaté. Bouffer des bouées de sauvetage sous la mitraille, psychologiquement, c'était pas con.

— Le principe des Life Savers, elle avait dit, c'est de les laisser fondre dans la bouche sans casser les bords.

Du coup, on faisait des concours. Elle était imbattable à ce jeu. Je ne sais pas comment elle s'y prenait, mais elle parvenait à exhiber au bout de sa langue une pastille pas plus grosse qu'une perle de rocaille avec un trou microscopique au milieu.

— Encore gagné, Sam, elle jubilait.

On se chamaillait aussi pour les rouleaux de Starburst à emballage rouge et jaune. Je me ruais sur ceux à la cerise, elle, elle préférait les verts.

— Ils sont à quoi ? je lui avais demandé.
— C'est écrit dessus.
— Ça veut dire quoi *watermelon* ? Un melon d'eau, ça existe ?
— Goûte et tu verras.

À cause du goût chimique, je n'ai jamais trouvé le nom français du *watermelon*. Mais qu'est-ce que j'ai pu faire comme progrès en anglais ! J'ai appris tous les fruits, *pineapple*, *raspberry*, et j'en passe. Avec elle, j'avais un prof de première. Et une maîtresse hors pair ! Là-dessus, on s'est accordés tout de suite. Question de peau. D'odeur. De ce qu'on voudra. J'ai pigé au quart de tour qu'au lit ça serait de la balle. Dès la première nuit. On ne s'était pas décollés d'un millimètre pendant des heures.
— Anna, j'avais dit, c'est trop fort, on va devenir dingos. J'ai trop envie de toi. Est-ce que tu te rends compte ? Est-ce qu'une femme peut se rendre compte de ça ? qu'un homme l'ait dans la peau à ce point ?
— À quel point ? elle avait demandé.
Je lui avais montré en lui broyant les épaules à les faire craquer. Comme elle ne bronchait pas, j'avais serré plus fort.
— Anna, sans blagues, tu trouves ça normal ?
— Mouais.
Elle avait l'expression blasée d'une fille qui en avait vu d'autres. J'ai pris sa tête entre mes mains comme pour en faire sortir le noyau et plaqué sa paume contre mon sexe. J'étais pire qu'un clebs. Sa bouche était un chalumeau et la vue de ses seins me flanquait des décharges de 100 000 volts. Je puais le roussi, elle, elle voltigeait sur mes flancs, légère comme une balle de coton, en soufflant « Non, Sam, je regrette, je ne peux pas aller jusqu'au bout ». J'ai pensé aux putes des sex-shops qui se déloquent au compteur. Elles ont

la main sur la ficelle du string et si vous n'allongez pas la monnaie, pim !, l'écran s'éteint. Éclipse totale. Faut fourrer des pièces dans la fente ou rester comme un con avec la bite en l'air. Sauf que, dans mon cas, c'était pas une histoire d'oseille. Anna n'était pas une gagneuse et j'étais pas un micheton, j'avais aucun moyen de lui faire remettre les gaz.

Je suis donc resté raide jusqu'au matin. Tendu à me faire péter les tendons. J'avais beau me dire *Relax, man ! ça va s'arranger, tu vas en revenir, de cette fille-là, tu vas finir par te réveiller. À un moment ou à un autre, tu la regarderas et tu ne la verras plus de la même façon. Tu pigeras que c'était du bluff. Et ça te fera marrer, toute cette excitation pour des nèfles.* Tu parles ! Elle me bluffait chaque seconde un peu plus. Même quand elle a commandé le frichti infâme qu'elle appelait son petit dèj et que cette boustifaille a failli me faire gerber, j'étais baba. Et quand elle a claqué la porte de ma piaule, c'est comme si on m'avait catapulté au pôle Nord. Derrière la baie vitrée, la Géorgie flambait. Le soleil citron allumait des mèches sur toutes les carcasses de buildings, les enseignes des Walgreen et des Walmart bouillaient, il pleuvait des étincelles sur les capots des bagnoles, et j'avais les extrémités gelées. J'avais envie de hurler comme un loup-garou. Mais j'ai songé qu'en Arctique, personne ne vous entendait.

La deuxième nuit, ça a été une autre histoire. En rentrant de l'IBC, on avait fait un arrêt dans un bar chinetoque où on s'était enfilé une cavalcade de verres. De l'alcool de riz, le truc qui cogne dur. Entre deux gorgées, on se roulait des pelles torrides. Dans un coin, il y avait une chanteuse sirupeuse sanglée dans un fourreau pourpre, une fois sur deux, quand elle ouvrait la bouche, aucun son ne sortait. J'ai vaguement songé que les Asiatiques n'étaient pas très démonstratifs et que notre conduite devait la choquer. J'ai pas pour autant arrêté de peloter Anna. Elle était assez barrée pour se laisser faire. On est sortis de là en vrac, on a tourné en rond dans le quartier, on ne trouvait plus la tour. On s'est repérés grâce à la clameur de Peachtree Street, toujours bondée. Une fois dans la piaule, elle s'est déshabillée vite fait. Ses pompes, sa robe, son soutif, elle a tout envoyé balader. Elle n'a gardé que sa petite culotte en coton blanc. Une culotte de nonne, sans fioritures ni rien. L'élastique avait laissé une trace sur sa peau. Une empreinte de minuscules maillons. Sa taille était incroyablement menue, je pouvais presque en faire le tour entre mes deux mains ouvertes. Sur l'aine gauche, elle avait une cicatrice rosée un peu en relief. Je l'ai caressée, elle a dit que c'était une appendicite ratée. Je lui ai montré la mienne, pas plus réussie. L'alcool de riz l'avait complètement désinhibée, elle a plaqué sa tête contre mon ventre et j'ai chiffonné ses cheveux. Un mélange de soie et de cachemire, qui sentait la châtaigne et l'humus des sous-bois. Rien à voir avec son parfum de la veille, savonneux et propret. C'était comme si l'animal était sorti de sa tanière. Une panthère ardente, vive et souple, qui s'apprêtait à festoyer. Je l'ai laissée s'activer, je n'ai pas tenu longtemps. « Pardon », j'ai fait. Elle a ri. « Je ne suis pas pressée. On a la nuit devant nous. » Je détaillais son corps parfait, ses épaules étroites, ses seins ronds, ses jambes élancées. Elle avait des mollets fermes et longs et des chevilles fines. Une vraie bombe. J'ai titubé jusqu'au minibar et je me suis autoprescrit un double bourbon. « Sam, elle a gémi, dans ton état, c'est pas raisonnable. » J'ai répondu que j'avais besoin de recharger mes batteries. « Laisse-moi dix minutes et je te promets un vrai feu d'artifice », j'ai dit. J'ai tenu parole.

La vérité, c'est qu'on n'a pas arrêté de baiser jusqu'à la clôture des Jeux. On ne pouvait pas rester tranquilles cinq minutes. C'était plus fort que nous. Il fallait qu'on soit en permanence l'un dans l'autre. Même dans la journée. On baisait sur le parking de l'IBC, entre deux bagnoles ou sur une table de montage et, à peine arrivés au *Westin*, on remettait ça. Je la calais contre la baie vitrée et on finissait sur la moquette. J'avais les fesses glacées, des écorchures aux genoux, des brûlures à la verge, malgré tout, je continuais à bander. C'est comme ça.

J'ai bandé sans interruption du 16 juillet au 5 août.

C'était dingue. On ne dormait jamais et on n'avait jamais faim. On commandait des club-sandwichs au *room service*, ça faisait marrer le serveur. Un grand Noir. Un Éthiopien. On s'était présentés, Sam, Anna, Najid. Le jour de la cérémonie d'ouverture, on s'était commandé un plateau. J'avais des invites pour le Stadium, mais, Anna et moi, on avait opté pour une soirée téloche. On trouvait ça plus intime. Najid venait de nous déposer nos hamburgers, on lui a proposé de rester jusqu'au passage de la délégation de son pays. Il n'était pas méga à l'aise. En six ans au *Westin*, il n'avait jamais copiné avec des clients. Mais il n'avait pas pu résister à l'appel du pays. « Ça restera entre nous, hein ? » On s'était tapé dans les mains.

Pour le centenaire des Jeux, les *gringos* avaient mis le paquet. Le spectacle était grandiose. Ils avaient insisté sur l'aspect culturel du sud des États-Unis, les Grecs devaient l'avoir mauvaise, eux qui soutenaient que l'anniversaire des cent ans leur revenait ! À la place des salamalecs antiques qu'ils nous auraient pondus, on a eu droit à des acrobaties futuristes, censées symboliser la modernité. Mais franchement, ça avait de la gueule : 85 000 gus se tortillaient dans les travées. Le moment fort a été l'arrivée de la flamme olympique portée par son dernier relayeur : Cassius Clay.

Najid m'a repris.

— Maintenant, il s'appelle Mohamed Ali, il a dit. Cassius Clay, c'était quand il boxait.

Il a pris un air bravache de prophète musulman.

— Dans ce pays, c'est important de le préciser, il a insisté.

On a donc regardé Mohamed Ali plonger son flambeau dans la vasque éteinte avec des gestes saccadés de parkinsonien. Ça nous a flanqué des frissons à tous les trois. Anna a fait une envolée sur l'absence des Indiens d'Amérique, comme quoi, dans ce pays, les minorités n'avaient décidément pas la cote. Elle a précisé que la Géorgie avait été une nation Creek, et que les Indiens Creeks avaient été les ennemis des Cherokees. Je l'ai charriée, ma chérie, notre hôte a des soucis raciaux plus contemporains. Najid a fait « Non, non, chacun doit défendre ses racines, vous-même, Sam, avez été envahi par les Romains ». Pile à ce moment-là, Céline Dion s'est mise à brailler *The Power of the Dream* et j'ai pensé qu'on n'avait pas été envahis que par les Romains. J'ai préféré le *Georgia on my Mind* de Gladys Knight. Là-dessus, Bill Clinton a déclaré les Jeux ouverts et Najid a chiffonné l'addition dans sa main.

Après, on est devenus potes, il piquait du champagne pour nous à la réserve.

— Au cas où vous auriez quelque chose à fêter, il disait.

Il était discret mais on l'intriguait. Deux zozos fondus l'un de l'autre qui ne parlaient pas la même langue, pas besoin de lui faire un dessin. Il appelait Anna « Mam ».

— Vous êtes amoureuse, Mam, il gloussait.

— Est-ce que ça durera toute la vie ? elle demandait

— Toute la vie, Mam ? Il faudrait que je demande aux noix. Je lis dans les coquilles de noix.

Anna l'a tanné pour qu'il apporte des noix. Il n'était pas chaud chaud, dans un hôtel de ce standing, Mam, vous comprenez… Sauf que quand Anna avait une idée en tête…

Elle l'a eu à l'usure, il a cédé. Un soir, il s'est ramené avec deux noix qu'il a fracassées dans ses paumes. Il a jeté les débris sur la table basse et allumé une sorte de bâton terreux épais. En même temps, il louchait avec inquiétude sur le détecteur de fumée dont l'œil rouge clignotait.

— Si l'alarme se déclenche, je suis cuit, il a fait.

— Je prendrai ça sur moi, j'ai dit, en désignant ma Lucky.

Sauf que son bastringue dégageait un brouillard épais et suffocant.

— C'est des herbes des Smoky Mountains, il a chuchoté. Elles ont un pouvoir magique.

Magique mes fesses, j'ai pensé. Ça puait le moisi à plein nez. Et les fenêtres de ce foutu hôtel ne s'ouvraient pas. Anna m'a fait signe de me calmer, Najid se concentrait sur les fragments brunâtres. Il écartait les résidus de chair blanche des miettes de coque et formait une sorte de puzzle sur la tablette. Au bout d'un moment, il a hoché la tête.

— Regardez bien les cerneaux.

On s'est penchés dessus, on n'a rien remarqué de spécial.

— C'est les circonvolutions qui sont intéressantes.

— Mouais, j'ai maugréé, on dirait des morceaux de cerveau humain éclaté.

— C'est juste, a jubilé Najid. Ça symbolise vos deux esprits. Et la fine membrane qui les séparait, le mésocarpe, n'a pas cédé. Elle est restée intacte malgré la fracture de l'amande.

— Ce qui signifie ? a demandé Anna.

— Que c'est très très bon signe, Mam. Vous formez les deux parties indestructibles d'une même entité spirituelle.

— Vous êtes sûr ?

— Les noix ne mentent jamais.

En même temps, il se mordait les lèvres, comme quelqu'un qui en sait long sur autre chose. Un truc qu'il valait mieux zapper de la conversation.

Anna et moi, on n'a pas cherché à savoir quoi.

6

ANNA

Je me réveille, Lorenz caresse ma joue.

— Bonjour mon amour. Je te prépare un jus d'orange.

Il m'embrasse sur les paupières.

— Tu veux des pommes sautées avec tes œufs brouillés ?

Il n'attend pas ma réponse, il s'enroule dans un plaid et file dans la cuisine. Il ouvre le frigo, fracasse deux coquilles et enfourne des tranches de *Pumpernickel* dans le grille-pain. Il claque des portes, sort des tasses et des couverts, une odeur de pancake filtre dans la chambre. Je rabats la couette sur ma tête, je me roule en boule et je m'engloutis dans l'oreiller. J'adore ce moment du matin où je grappille des minutes au chaud. Je pense, *Homme tranquille, si tu savais*. Je pense, *C'est incroyable, tu ne sais pas. On passe nos nuits ensemble et tu ne sais pas. Tu m'aimes et tu ne sais pas.*

Il revient avec un plateau, il a piqué une rose dans le miel.

— Tu n'as pas l'air dans ton assiette, *mein Liebe*.

Je dis « Non, c'est vrai, je suis fatiguée ».

Il dit « Ça doit être le décalage horaire. Dans ce sens-là, il est affreux ».

Je dis « Oui, dans ce sens-là, on dort le jour et la nuit, on a les yeux au plafond ».

Sauf que je suis rentrée d'Atlanta depuis un mois. Un mois de décalage horaire, est-ce que ça se peut ?

Il tire les rideaux, les nuages se bousculent derrière les vitres comme une charge de bisons blancs. Je regarde par la fenêtre le contour flou des arbres.

— C'est mon seul jour de libre et il va pleuvoir, je maugrée.

Lorenz grimace.

— Je voulais rester avec toi et faire l'aller-retour Munich-Zurich demain, mais ça ne va pas être possible. Un souci avec l'imprimeur. Je pars tout à l'heure.

— Tu rentres quand ?

— Vendredi.

Il repousse les draps, « Viens là ». Il sent le propre, le savon au lait d'amande, son haleine est mentholée. Je bascule sur son dos, mon ventre épouse parfaitement ses fesses. Je picore sa nuque, il rit, « Je t'adore, mon moineau ». Je fais mine de me lever. « Encore cinq minutes », il implore. Va pour cinq minutes. Il retourne mon oreiller, là où c'est frais.

— Installe-toi sur le frais, ma tête.

J'enfouis mon nez dans le frais. On reste front contre front, bouches scellées, je sens son sexe contre ma jambe. Je l'effleure du bout des doigts, il glisse une main timide entre mes cuisses. Le temps ne l'a pas enhardi. Dans nos rapports intimes, il a gardé une certaine innocence. Il ne prend jamais d'initiative et n'exprime aucune exigence. J'aime sa retenue au lit. On ne s'attarde pas sur les préliminaires. On se connaît à fond, on a nos combines. Toujours les mêmes. Il a une façon très virginale de faire l'amour. Affable et délicate. On jouit presque tout de suite, moi d'abord, perchée sur lui, puis c'est son tour. Il enserre mes hanches, il dit « Ne bouge pas », et il s'active sous moi. Et pendant l'orgasme, il a toujours l'air stupéfait. Plaisir garanti chaque fois. L'accord parfait.

Depuis mon retour d'Atlanta, je ne couche plus beaucoup avec lui. Rien à voir avec Sam. Avant les Jeux, on était déjà calmes de ce côté-là. Il nous arrivait de rester chastes pendant des semaines. Lorenz n'a jamais été très porté sur les rapports physiques. À part la première année. La première année, oui, on avait sans arrêt envie. Et probablement aussi la deuxième. Encore que, la deuxième, on était plus relax. Il nous fallait nos aises. On ne le faisait plus que le soir, au lit. En réalité, on en ressentait de moins en moins la nécessité. Je suppose que c'est pour tout le monde pareil. Le temps passe et on a de moins en moins envie. On s'aime, on s'embrasse, on se touche, on s'appelle « mon chéri », « mon trésor », « ma vie », on ne peut pas se passer l'un de l'autre et on n'a pas envie. C'est comme ça.

Il commence à faire son sac. Il brosse le fond, empile ses chemises, lisse les cols, plie son linge de corps dans des pochettes spéciales et glisse ses pulls dans des sachets de Cellophane. Je songe au chaos de la valise de Sam. À ses affaires roulées en boule, il devait tout retourner pour trouver deux chaussettes de la même couleur. Il harcelait la gouvernante en permanence, malgré ça, il avait toujours l'air froissé de la tête aux pieds. Lorenz attrape mon tee-shirt de la veille et le pose au-dessus de ses affaires. « Pour sentir ton odeur cette nuit à Zurich », il dit. On s'embrasse à perdre le souffle. Il enfile son manteau.

— Tu veux que je te rapporte des chocolats suisses, ma chérie ?

Quand j'étais petite fille, mes parents m'envoyaient en vacances dans un home d'enfants en Suisse romande. À Gryon, dans le canton du Valais. Le chalet s'appelait *À pic* et il était bâti en surplomb d'un précipice. Je me penchais au balcon et je sondais le vide, au-dessous. J'avais peur d'être aspirée, mais je raffolais de cette sensation.

L'après-midi, avec la monitrice, on grimpait dans les alpages. L'air trop pur des sommets nous brûlait les poumons. Elle nous disait de respirer à fond, ça allait tout nettoyer en dedans. « Retenez votre souffle du plus que vous pouvez, est-ce que vous sentez le bon oxygène suisse ? À trois, vous pourrez expirer, un, deux, deux et demi, deux trois quarts, allez, on vide sa bouche. » On recrachait de toutes nos forces le mauvais oxygène allemand, même que ça nous faisait beaucoup tousser. La monitrice disait que c'était la preuve que les microbes s'enfuyaient, une vraie débandade.

C'était l'été. On mâchouillait des Sugus, sortes de caramels fruités à pâte molle. On préférait les rouges, qui s'échangeaient contre deux jaunes. Après, on avait les doigts collants et on les rinçait sous les sources glacées jusqu'à avoir les phalanges bleues.

Il y avait des boutons d'or qu'on frottait sous le menton. Est-ce que tu aimes le beurre ? Menton jaune égale « oui », menton blanc égale « non ». Il y avait la virgule blanche du mont Blanc et les dents du Midi qui croquaient les nuages. Il y avait des sapins bleus qui zébraient le ciel bleu. Il y avait des gentianes bleues, des orchidées bleues, des gueules-de-loup bleues, je me disais que les vaches de ce pays n'avaient sûrement pas l'estomac rose et je m'attendais à voir voler des bourdons en marinière. Surtout, il y avait des fleurs turquoise ébouriffées dont je n'ai jamais su le nom, leurs tiges dégoulinaient de clochettes qui ressemblaient à des oiseaux exotiques. On cueillait des oiseaux qu'on soignait jusqu'à la fin des vacances. On composait des familles, le père, la mère, les enfants, les cousins, tous de la même lignée des Blau, bleu en allemand. On leur donnait des prénoms. Anke Blau, Gottfried Blau, Röschen Blau. Le soir, on les bordait sous des épines de pin en leur chantant des berceuses. C'étaient nos poupées fleurs, douces et fragiles, on pleurait beaucoup quand elles fanaient.

À l'âge adulte, je pensais sans arrêt à Gryon, c'était une obsession. Tous les étés, j'ai pris l'habitude d'y faire un pèlerinage. Je ne dorlotais plus les clochettes, mais je continuais ma boulimie de Sugus. Un matin, il y a dix ans, je marchais en direction des alpages et une voiture s'est arrêtée.

— Je peux vous déposer quelque part ? a fait le conducteur.

Il parlait allemand et il était à tomber.

J'ai dit « oui ». Il a ouvert la portière et je suis montée.

Je voulais marcher, toute seule, comme avant, au bord de cette route-là. Je voulais empoigner les boutons d'or pour voir si j'aimais le beurre. Je voulais avoir chaud et soif, et rincer mes doigts du sucre des Sugus sous l'eau des sources. Je voulais me désagréger dans les alpages et ressusciter à la verticale, hérissée de bras épineux. Je voulais sécréter de la résine pour me régénérer… mais un homme a paru au volant d'un coupé. Il était habillé tout en blanc. Chemise, pantalon, même ses chaussures, des mocassins en peau, étaient immaculées. Ses cheveux flottaient contre le dossier de son siège. Il les rejetait vers ses tempes et je me retenais de les toucher. Il a dit qu'il s'appelait Lorenz et qu'il était originaire de Zermatt, dans le haut Valais. La différence avec le bas Valais, c'est la langue. Comme moi, il ne parlait pas français mais il aimait cette région du versant suisse, il a désigné du doigt les dents du Midi. Il a dit qu'au soleil couchant elles viraient au rose vif, est-ce que je les avais déjà vues de cette couleur ? J'ai répondu que je connaissais toute la gamme des couleurs de ce côté des Alpes et les noms de tous ses sommets : la Cime de l'Est, la Forteresse, la Cathédrale, l'Éperon, la Dent jaune, les Doigts, et le point culminant, la Haute Cime. Il a sifflé, sur un mode franchement admiratif.

Du coup, j'ai ajouté qu'à six ans j'avais escaladé le col des Paresseux.

— C'est un parcours exigeant, il a dit. Surtout à partir de 2 700 mètres. J'ai connu peu d'ascensions aussi éprouvantes ! Vous deviez avoir des mollets impressionnants pour six ans !

Je me suis mordu les joues. En réalité, la monitrice nous avait conduits au pied du col et on était rentrés au chalet. Elle devait se douter que neuf heures de marche à la verticale sur un chemin caillouteux n'étaient pas une entreprise raisonnable pour des enfants de notre âge ! Quelle idiote je faisais. Et lui qui m'embarquait sur les paysages lunaires des pentes valaisannes, décrivant en détail la découpe des Dents, ciselées par un orfèvre, et les pierres noires concassées qui mènent au premier refuge.

— Vous avez dû dormir à la cabane de Susanfe, je suppose.

Je n'avais déjà plus le cran de le décevoir. J'ai soufflé « Oui, le dortoir est un peu sommaire ».

Je ne sais pas s'il avait deviné que je mentais, toujours est-il qu'à un moment donné il s'est esclaffé :

— Au final, le col des Paresseux n'est rien d'autre qu'un gros tas de cailloux !

Comme tout bon Suisse, il avait escaladé la plupart des voies conduisant aux sommets, même les plus difficiles. Il n'en faisait pas un plat. C'était un authentique enfant des cimes, tout son esprit le portait vers le haut.

J'ai compris que j'avais intérêt à laisser tomber mes bobards ascensionnels et je lui ai parlé d'*À pic*. Il a dit « Montrez-moi le chalet ». Il a fait demi-tour et remis le cap sur Gryon. Après une halte devant mon ancien home d'enfants qui n'en était plus un, c'était désormais une résidence particulière, même le nom avait changé, on est entrés dans une taverne décorée dans le style local. Mobilier en bois brut et ribambelles d'edelweiss sculptés au-dessus des tables, pour commander, il fallait agiter une cloche de vache. On a baragouiné ce qu'on désirait à un serveur moyennement coopératif, il devait avoir une dent contre la Suisse alémanique. On a esquissé des gestes improbables pour mimer le jambon cru et l'appenzell, un fromage qui a pourtant le même nom dans les deux langues ! J'ai prononcé « appenzell » de toutes les manières possibles, le gars a conservé exprès son air demeuré, du coup, on a chopé un fou rire irrépressible qui l'a buté encore davantage. On a continué sur notre lancée, Lorenz a même imité le « pschitt » du vin blanc frisant des Alpes, le serveur écœuré a fini par nous tourner le dos.

Heureusement, derrière le bar, une rousse se gondolait en mastiquant un Sugus. La pâte de ces bonbons est la plus coriace du monde, ses dents s'activaient comme des pistons. J'ai sorti un rouge de ma poche, elle connaissait sa valeur, vu qu'elle m'a aussitôt proposé cinq jaunes en échange. En vingt ans, le cours du Sugus rouge avait dû grimper ! Quoi qu'il en soit, elle et moi, on se recevait cinq sur cinq, la communication était établie. Elle s'est dandinée jusqu'à nous et a pris la commande en s'exprimant dans un allemand parfait.

— Ne faites pas attention à Jean-Jean, elle a gloussé. Il est en pleine crise helvète.

Le Jean-Jean en question a feulé, preuve qu'il avait des bases germaniques.

Aujourd'hui, je me dis que c'est étrange, entre Sam et moi, ça s'est à peu près passé de la même manière au *Bistrot* d'Atlanta. Je dois avoir le chic pour rencontrer le grand amour à l'étranger.

7

SAM

Les quais de Seine sont déserts, je vois mon avenir se dérouler devant moi. Une toile peinte par Sisley, *Abords d'une gare en hiver*. C'est un pastel. Un dégradé neigeux monte de la terre au ciel. Il y a une grande prédominance de blanc. À gauche, on bute sur trois arbres noirs, au premier plan, on voit des broussailles maigres. Si on regarde de près, on distingue une silhouette. Quelqu'un marche, accablé par le froid. Malgré la température plutôt clémente, une vapeur tiède envahit l'habitacle, je suis cet homme qui peine dans l'air glacé. Je me regarde dans le rétroviseur, je ne me reconnais pas. J'ai comme qui dirait pris un sacré coup de vieux. Je voudrais rouler jusqu'à l'aube, enfiler des kilomètres de macadam et déboucher entre des champs de tabac émaillés de fleurs.

J'ai reçu un appel au boulot, sur le coup, je n'ai pas reconnu mon interlocuteur. Il parlait anglais.

— Salut, c'est Alan Trump, vous vous souvenez de moi ?

C'était le patron du *Old South*, un restau d'Atlanta.

— Alan ! Vous êtes où ?

— À Paris. À l'hôtel *Raphaël*.

— Vous êtes venu tout seul ?

— Non, je suis avec Gail. On se disait que ça serait sympa de dîner tous les quatre.

Tous les quatre, merde, j'ai songé. Le souci, c'était évidemment la quatrième.

— Sam, vous êtes toujours là ?

— Ouais.

— Vous faites quoi ce soir ?

— Je suis avec ma femme.

Il y a eu un silence sur la ligne. Il devait être en train de cogiter. À Atlanta, Anna et moi, on l'intriguait. Ma façon de baragouiner l'anglais et sa manie de corriger mes fautes avaient dû lui mettre la puce à l'oreille. Disons qu'on ne faisait pas très couple légitime. Évidemment, il n'avait pas posé de questions.

— On serait ravis de la rencontrer, Gail et moi, il a fini par lâcher.

— Je regrette Alan. La prochaine fois, peut-être ?

Je me sentais dans la peau du gars qui file avant que le pétard n'explose. Il a pigé la situation.

— On se reverra au *Old South*, mec, il a dit.

Le *Old South* était l'endroit chic d'Atlanta, à la fois baroque et Art déco, on y diffusait de la musique techno cubaine. Les filles, les clientes comme les serveuses, étaient d'une beauté pas croyable. C'était notre repaire, à Anna et moi, on y passait tous les soirs. C'est comme ça qu'on avait connu Alan. Un chouette type, originaire du Maine, la cinquantaine, heureux de jacter avec des Européens, ça le changeait des bouseux du coin. Il faisait semblant de draguer Anna devant Gail et moi.

— Putain, Sam ! Quelle belle pépée vous vous êtes dégottée ! il s'esclaffait.

C'est ce que je me tuais à répéter à Anna, qui n'y croyait pas. Elle dépréciait son physique, jugeait son nez trop long, sa bouche trop mince, ses hanches trop droites et je ne sais pas quoi d'autre. J'avais beau lui répéter qu'elle était à tomber, elle haussait les épaules.

— Arrête, Sam. Je sais comment je suis. Les hommes ne s'intéressent pas à moi.

C'était faux, ils ne regardaient qu'elle.

Au début, je prenais ça pour de la coquetterie de sa part. Et, au bout du compte, non, ça n'en était pas. Aussi dingue que ça puisse paraître, Anna se trouvait « quelconque », elle n'avait aucune conscience de son *sex-appeal.*

— Tu pourrais décrocher n'importe quelle bombe, elle disait. Miss Géorgie en personne. Tu n'aurais qu'à lever le petit doigt.

Elle me montrait les bombes.

— À côté, je suis tellement ordinaire.

Ordinaire, elle ? Elle était complètement à côté de la plaque.

— Anna, tu te fous du monde. Tu ne vois pas comment les lascars te matent ? Rien que le serveur... ne me dis pas que son manège t'a échappé. La manière qu'il a de t'apporter le verre de blanc que tu n'as pas commandé.

Elle avait ri.

— Du blanc à Atlanta... tu parles ! Il ne doit pas y avoir des masses de choix !

J'avais maugréé qu'il y en avait assez, entre cette saloperie de cabernet sauvignon, pompeusement étiqueté « français », l'orvietto de deuxième zone, le chardonnay et les autres piquettes californiennes. Suffisamment, en tout cas, pour que ce baltringue ait toutes les chances de s'emmêler les pinceaux entre les cépages. Faut dire, ce gars-là commençait à me chauffer. Il avait des tifs jaunes, de la vraie bourre à matelas. Et elle, flattée, qui tombait dans le panneau :

— Merci Greg, vous êtes formidable.

Elle aurait pu faire bander le pape et elle jubilait des roucoulades d'un loufiat ! Je n'ai jamais fliqué Betty, mais, allez savoir pourquoi, avec Anna, j'étais à l'affût. Je n'aimais pas sa manière de s'adresser aux étrangers. Son sourire engageant, sa manie de les effleurer me mettaient les nerfs à vif. J'aurais préféré qu'elle garde ses distances. Les Allemands passent pour des gens froids, oui ou merde ? Anna, c'est bien ma veine, est chaleureuse et démonstrative, elle prétend que c'est à cause de sa nature bavaroise. Pour la charrier, je lui ai dit qu'elle avait un petit côté Sissi. Elle s'est braquée.

— On voit bien que tu ne sais pas qui c'était, elle a grogné.

— Tu déconnes, Anna, j'ai vu tous les films ! Tu vas quand même pas m'en vouloir de te comparer à Romy Schneider, merde !

— Parce que tu as mordu à cette version cucul la praline ? Non, mais tu as idée de ce qu'était la cour d'Autriche à cette époque ? Ton impératrice d'opérette n'a jamais existé. C'était une vraie saleté, narcissique et anorexique. Frigide, par-dessus le marché.

— Sans blague, Anna ?

Elle a pris une expression féroce.

— Appelle-moi encore une fois Sissi, et au lit, je me conduis comme elle avec François-Joseph…

Ce qui me bluffait le plus, chez elle, c'était son cran pas croyable. Un vrai petit soldat. Elle fonçait franco, ne s'apitoyait jamais sur sa petite personne. Quand elle flippait, elle riait aux éclats. Sa devise était celle de Jackie Kennedy : « *No pain, no complain.* » À Atlanta, elle répétait ça sans arrêt. « *No pain, no complain.* » Et aussi : « Sam, il ne faut pas qu'on soit tristes. En aucun cas. Si tu sens la tristesse venir, promets-moi de m'envoyer balader. »

La tristesse est venue. Ça n'a pas traîné. Elle a déboulé sans crier gare la nuit de l'attentat. Avant l'attentat, on était dans un trip joyeux, je ne pensais pas à après, pas à la vie d'après.

La nuit du 27 juillet, à 1 h 20 du mat, le *Westin* a vibré. En entendant la déflagration, j'ai tout de suite pensé à une bombe. Réflexe parisien, je suppose.

— Un attentat à Atlanta ? a dit Anna. Impossible ! Avec le nombre de flics qui patrouillent en ville, personne ne prendrait un risque pareil…

J'ai allumé CNN. Toujours le binz du Boeing de la TWA. À présent, les experts évoquaient des tracés radar aux abords du vol, le déplacement d'un objet volant à la vitesse mach 2. Des quidams juraient avoir vu une lumière incandescente montant du sol. Pour eux, la cause la plus probable du *crash* était l'explosion d'un missile « sol-air » sur l'avion.

— Anna, j'ai dit, fais-moi confiance, un engin a pété quelque part.

— Tu ne trouves pas que deux catastrophes aux US, ça suffisait ? elle a gémi.

Je n'ai pas demandé quelle était la première.

J'ai composé le numéro de la réception et le concierge m'a confirmé qu'il s'agissait d'une bombe, elle venait d'exploser dans le parc du Centenaire. Une heure avant, on l'avait traversé côte à côte. Au milieu des guitounes publicitaires, World Company, Swatch, Coca, Heinz et autres bazars, il y avait un café-concert, le *Blue je-sais-plus-quoi*. On avait regardé l'affiche. James Brown. On s'était pincés.

— Le roi de la funk, merde. On y va ?

On adore James Brown, n'empêche, on avait dit non, on n'y va pas, on rentre à l'hôtel. On voulait baiser, point. On avait cavalé jusqu'au *Westin*. J'avais une érection carabinée. On a baisé. Et la bombe a pété.

En raccrochant le récepteur, j'ai eu la vision de nos deux corps déchiquetés. Si on avait un peu traîné dans le parc ou autour de la boîte de blues, allez savoir, on nous aurait peut-être retrouvés en miettes. J'imaginais le tableau, des morceaux d'Anna et de moi éparpillés. Personne n'aurait jamais fait le lien entre nous. Une victime allemande, un mort français. Deux étrangers soufflés aux antipodes de chez eux. Avec James Brown à fond les ballons, *Get up, get on up, like a sex machine*... Le truc surréaliste.

Il était 7 heures et demie du mat en Europe, Anna voulait rassurer Lorenz avant qu'il allume la radio.

— Je suis désolée, elle a dit, il faut que je l'appelle. Il va s'inquiéter. Je ne peux pas faire autrement.

— Tu veux que je te laisse ?

— Bien sûr que non. Tu ne comprends pas l'allemand.

Et elle a composé le numéro de son mari.

Je me suis approché de la baie vitrée. En bas, la ville était encore paisible, mais on sentait qu'un truc grave venait de se produire. Dans Peachtree Street, la foule s'était figée et, sur les bretelles des *freeways*, on voyait clignoter les premiers gyrophares. Une colonie de lucioles affolées convergeait vers un même point invisible. Et le hululement des sirènes montait à l'assaut du centre-ville.

Dans mon dos, Anna téléphonait. C'était bizarre de l'entendre parler dans sa langue maternelle. Rien à voir avec l'idée que je m'en faisais. Ça ne ressemblait pas aux aboiements des films. Faut dire, la plupart de ceux que j'ai vus étaient des films de guerre et les aboyeurs étaient des SS. Pour la première fois de ma vie, j'ai trouvé l'allemand doux et harmonieux.

Je ne sais pas ce qu'elle disait, mais il y avait de la tendresse dans son intonation et, même, plus que ça. J'imaginais le Schleu à l'autre bout de la ligne. Je dis le Schleu par pure bonté d'âme. Je pourrais employer un mot pire, genre le Boche ou le Schpountz. La vérité, c'est que ça m'écorche la gueule d'appeler le mec d'Anna par son prénom. Il sonne à mes oreilles comme une scie à métaux. Quand elle parle de lui, j'ai l'impression qu'on me frotte les tympans à la toile émeri.

Il était à huit mille bornes, il devait estimer que tout allait bien, puisque Anna était vivante. Quelle ironie ! S'il avait pu se douter de la nature du risque véritable. Du sens réel de l'expression « perdre sa femme ». Il avait pourtant paumé Anna plus sûrement que si elle avait été raflée par la bombe. En ramassant ma montre sur sa table de nuit, je suis tombé sur la photo d'Humphrey Bogart et Lauren Bacall. J'ai tout de suite reconnu la scène du *Port de l'angoisse*, tiré du bouquin d'Hemingway, *En avoir ou pas*. Qu'est-ce que cette carte foutait là ? Je l'ai retournée machinalement et j'ai lu la phrase : « Si tu as besoin de moi, tu n'as qu'à siffler. » Elle était manuscrite. Sûrement un message subliminal du Boche. *Quel toquard*, j'ai pensé. Le film est une ode à la résistance contre les nazis. Anna m'a gaulé, elle a émis un soupir furax.

— C'est l'épitaphe de la tombe de Bogart, j'ai soufflé.

Elle a plaqué sa main contre le récepteur :

— Ah bon ?

J'ai fait « Oui, oui, je te jure ».

Tout de suite après avoir raccroché, elle m'a tendu l'appareil.

— Appelle chez toi.

J'ai eu Betty. Elle était dans tous ses états. Elle insistait pour que je rentre.

— Sam, le boulot ne vaut pas qu'on risque sa vie, elle a gémi.

Je l'ai rassurée.

— Ne t'inquiète pas, mon amour, je suis vivant au-delà du possible.

J'ai ajouté que sa voix me faisait un effet aphrodisiaque, et c'était vrai. Elle a ri.

— Tu me manques aussi de ce côté-là, mon chéri. C'est la raison pour laquelle je tiens à ce que tu radines entier.

Derrière moi, Anna feuilletait un magazine. Quand j'ai eu fini, elle m'a branché sur Bogart. Je lui ai appris qu'il avait choisi cette réplique de Lauren Bacall pour sa pierre tombale. Ça l'a épatée. Elle ne savait même pas que le script était d'Hemingway. J'en ai profité pour frimer.

— Howard Hawks voulait convaincre son pote de venir bosser à Hollywood. Hemingway n'y tenait pas. Là-dessus, ils font une partie de pêche et Hawks lui dit : « Donne-moi le nom de ton pire bouquin et je le porte à l'écran. » Ernest se marre et répond : « Ma plus grande daube ? C'est ce truc informe qui s'appelle *En avoir ou pas* ! » Et bingo ! La Warner Bros a fait un tabac avec.

On a ri, n'empêche, la tristesse nous est tombée dessus. On n'a pas bronché, mais on a pigé que c'en était fini de l'état de grâce. Ça allait méchamment se gâter. On n'allait pas tarder à en baver. On s'est couchés comme des chiots dans un panier, pour la première fois, on n'a pas eu envie de baiser. D'ailleurs, on n'a pas baisé. Toute la nuit, on est restés agrippés l'un à l'autre, je serrais les épaules d'Anna à lui faire mal.

— Ne t'en fais pas, *mein Liebe*, j'ai soufflé. Je t'aime.

— Moi aussi.

— Est-ce que ça va ?

— Oui.

— À quoi tu penses ?

— Et toi ?

— À rien.

— Tu as les yeux fermés ?

— Non.

— Tu veux qu'on allume ?

— Non.

J'avais la bouche sèche. Une haleine de fontaine rouillée. Et pas moyen de me lever pour aller ouvrir le minibar. Surtout, ne pas bouger. Bouger, c'est laisser aller la vie. Et la vie appelle des mots. Des interrogations. Auxquelles on ne peut pas répondre. On savait déjà que c'était râpé. Le mieux, c'était encore de faire les morts. Anna n'a pas marché dans la combine.

— Sam, je sais que tu ne dors pas, elle a dit.

J'ai imité la respiration du gars qui dort. Inspiration légère, profonde expiration.

— Tu crois qu'on se reverra, après ? elle a insisté.

Je n'ai pas répondu. Je pensais oui, bien sûr, forcément. Mais je n'ai pas répondu.

On a écouté le ballet des ambulances, le grondement des hélicos qui rasaient le *Westin*. On était pendus aux rumeurs du dehors, à la fois immobiles et en alerte. Des projos géants se sont mis à balayer le ciel. Le plafond de la piaule clignotait. Je me suis levé. Derrière la baie vitrée, l'horizon était éblouissant.

Toute cette blancheur m'a fait penser aux *Neiges du Kilimandjaro*, pas à la montagne elle-même, au type qui a la gangrène, Harry, l'écrivain. Il agonise et tout ce qu'il trouve à faire, c'est s'engueuler avec sa femme. En réalité, c'est après lui-même qu'il en a. Au moment de mourir, il réalise qu'il s'est gouré de vie. Cette saleté de lucidité le tue plus sûrement que la gangrène. Il est en nage, sa guibolle suinte, il sait que la pourriture va gagner toutes ses fonctions vitales, au point que sa carcasse ne sera bientôt plus que ça, le véhicule de cette pourriture. À la fin, il imagine qu'on l'emporte dans un coucou. Il vole et il aperçoit le Kilimandjaro, « haut et incroyablement blanc dans le soleil ».

Je songeais que, moi aussi, j'étais victime d'une envolée fantasmatique. Cette perspective vertigineuse du haut du *Westin* ressemblait à un mirage. J'ai entendu le cri des hyènes.

C'est moi que les hélicos venaient chercher. Je ne tarderais plus à voir le blanc immaculé des cimes. J'allais crever au sommet de cette foutue tour, c'était couru. On me descendrait au niveau du lobby ficelé sur un brancard, avec un peu de bol, je prendrais le dernier ascenseur en partant du bout, celui d'Anna et moi. À l'aéroport d'Hartsfield, on me flanquerait dans la soute d'un Boeing de la Northwest et je rentrerais raide à Paris par moins cinquante. D'un côté, j'aurais les cannes allongées pendant le vol. Betty viendrait chercher ma dépouille à Roissy, elle se prendrait la tête avec ces cons de l'immigration, il faudrait qu'elle fasse tamponner des tas de papelards, elle qui n'est pas fichue de remplir ses feuilles de Sécu.

J'ai songé que je n'avais dit à personne où je voulais être enterré. Si ça se trouve, on me flanquerait à Pantin où j'ai de la famille. Merde. Moi qui brigue le cimetière du Montparnasse. Pas le grand carré, non. Trop fréquenté. Trop de morts. Dont trop de célébrités. Moi, je rêve du petit carré de gauche, quand on vient d'Edgar-Quinet. Beaucoup plus discret. Il y a Sainte-Beuve et Maupassant. Je me fous de Sainte-Beuve. Mon trip, c'est Maupassant. J'ai lu tous ses bouquins, romans et nouvelles. J'ai même un télégramme de lui, remporté aux enchères. Un minuscule bout de carton jauni par le temps. Le timbre a coûté « 30 » quelque chose. Il n'est pas précisé s'il s'agit de francs ou de centimes. On sait juste que ce télégramme, c'est indiqué dessus, peut « circuler à Paris, dans les limites de l'enceinte fortifiée ». Et que le nombre de mots n'est pas limité. Tant mieux.

Maupassant, donc, a écrit à son tailleur.

« Monsieur Harrisson

tailleur-18 boulevard Montmartre »

Au dos du télégramme, on lit :
« Monsieur, voulez-vous bien venir reprendre le plus tôt possible mes deux gilets blancs qui ne vont pas du tout. »

Il a souligné deux fois « pas du tout ». On va dire fermement. Genre, ça va barder. Genre, j'écris sur l'amour, l'envie, le regret, la haine, la mort, la pitié, la bêtise, tout ce que vous voulez, mais je ne plaisante pas avec les gilets.

« Recevez, monsieur, l'assurance de ma considération. »

C'est signé Guy de Maupassant. Le patronyme aussi est souligné. Le gars devait rudement aimer souligner. Je pense souvent aux gilets blancs. Et évidemment, à tous ces trucs de la vie qui ne vont *pas du tout*.

Je vais au Petit Montparnasse une fois par an. À chaque Toussaint, je fleuris sa tombe. Je dépose un bouquet de roses roses. Je n'ai pas le choix. C'est ça ou des chrysanthèmes en pot. Je ne me vois pas fourguer des chrysanthèmes en pot à l'auteur de *Boule de suif*. Un de ces jours, il faudra qu'on m'explique le bisenes des fleuristes de cimetière qui, en automne, ne fourguent que des fleurs moches. Et qu'on ne vienne pas me raconter que c'est à cause de la saison. Je suis sûr qu'il y a autre chose là-dessous.

Bref, chaque 1er novembre, je remonte la rue Émile-Richard, qui coupe le cimetière en deux, elle n'est bordée d'aucun immeuble et n'abrite donc aucun Parisien vivant. Je longe les murs aveugles jusqu'à l'entrée du petit carré de gauche et je flâne dans les allées. Il n'y a jamais grand monde, n'empêche, je planque plus ou moins mes roses roses, au cas où on remarquerait mon manège. Un type qui vient fleurir Maupassant tous les ans à la même date, je ne sais pas pourquoi, ça m'emmerderait que ça se sache. Je sais, c'est con. Ce que les gens, et qui plus est les inconnus, pensent de ma pomme, je devrais m'en foutre. Sauf que non. Ce truc-là, c'est intime. C'est entre Maupassant et moi. D'ailleurs, sur sa tombe, c'est moi qui dépose les seules fleurs. C'est pas triste. C'est comme ça. Il n'a peut-être plus de descendants. Ou des descendants qui s'en tapent. Les descendants ont leurs raisons. Moi-même, je ne fleuris pas ma grand-mère que, pourtant, j'adorais.

Toujours est-il que, le jour de l'attentat, j'ai fantasmé comme un malade sur mon enterrement. J'ai invoqué une envie pressante, disparu dans la salle de bains et gribouillé un mot en douce à l'intention de Betty.

J'ai écrit :

« Mon amour, s'il m'arrive une tuile pendant les JO, merci de me rapatrier au Petit Montparnasse et de me dénicher une place le plus près possible de Maupassant. Ou de me laisser sur le continent américain, ça me fera moins loin. Dans ce dernier cas, paie-moi un aller simple pour l'Idaho. Qu'on me creuse une fosse dans le cimetière de Ketchum, pas trop loin d'Hemingway. C'est à un jet de pierre de Sun Valley, son dernier domicile. Une région giboyeuse, à ce qu'il paraît. C'est Maupassant ou Hemingway, au choix. Je t'aime. »

Depuis mon retour des Jeux, il m'arrive de tâter ma poche arrière, histoire de vérifier que mon testament est toujours là.

D'une certaine façon, je suis mort à Atlanta. J'ai perdu l'illusion qu'en amour on est fait pour quelqu'un et pour personne d'autre. J'avais un avis très arrêté sur la question. Je croyais que quand on avait eu la chance de tomber sur l'oiseau rare – ce qui est mon cas avec Betty –, c'était réglé une fois pour toutes. On se raconte de ces conneries ! Avec Anna, j'ai découvert que le domaine des sentiments est beaucoup plus complexe et qu'on pouvait aimer deux femmes à la fois.

J'ai aussi pigé que c'est la pire tuile qui puisse arriver à un homme.

8

ANNA

Le samedi 27 juillet, une minute de silence a été décrétée sur tous les sites en hommage aux victimes de l'attentat. On a mis les drapeaux olympiques en berne et CNN a relégué l'accident du Boeing en deuxième position. Au bas de l'écran, sous le bandeau « Breaking News », on lisait désormais : « ATLANTA CENTENNIAL PARK : 2 morts, 112 blessés » et des images du carnage passaient en boucle. Les secouristes avaient installé un groupe électrogène et une batterie de projecteurs éclairait certains angles de la scène, on aurait dit un tournage de film. Vu d'hélicoptère, les gyrophares des ambulances zébraient l'obscurité et un lent ballet d'infirmiers sanglait les blessés sur des brancards orange. Autour du café-concert, c'était le chaos. Du verre et des débris jonchaient la pelouse. Le souffle de l'explosion avait éventré les buildings environnants, des éperons d'acier jaillissaient de leurs flancs, ça m'a évoqué le San Sebastián du Greco. Le torse glabre du martyr transpercé de flèches. Des fantômes en lambeaux surgissaient des massifs massacrés et dépliaient leurs membres au ralenti. Du sang brun s'échappait de leurs plaies et ils avaient l'expression hagarde des déportés. Ils titubaient entre les carcasses des guérites publicitaires en se pressant les côtes et leurs plaintes, mêlées au hurlement des sirènes, résonnaient dans la nuit moite comme un *Requiem* lugubre et poignant.

Un ruban jaune marqué « *Crime Scene* » enserrait les arbres et le quartier grouillait d'agents du FBI. Tout le monde était nerveux. Entre les fédéraux et les journalistes, la guerre avait tout de suite été déclarée. Pour les autorités américaines, la bombe au cœur du symbole des JO était une gifle historique. Une humiliation devant les caméras du monde entier. La Maison-Blanche évoquait les groupuscules politiques extrémistes et les flics harcelaient un témoin à moustache rousse qui répondait au nom de Richard Jewell, un agent de sécurité qui avait repéré le colis piégé. Un sac à dos vert pomme bourré de poudre et de clous. Sa marque, Bubba Job, était griffée « *made in USA* ». Mais c'était surtout sa signification : « boulot de péquenots » qui faisait ricaner les reporters. Pour sa tranquillité, ce jour-là, Richard Jewell aurait mieux fait de passer son chemin. C'était un vieux célibataire balourd qui vivait avec sa mère dans un faubourg modeste de la ville et qui s'exprimait dans un anglais sommaire. À cause de ses manières de plouc, de son aspect vestimentaire suranné et de son accent traînant du vieux Sud, il était vite devenu la risée des médias. Pour un type qui avait sauvé des vies humaines en éloignant les touristes du sac à dos, c'était franchement scandaleux. Le cirque habituel a commencé autour de sa maison. Une meute de reporters hystériques a pris position, le pistant jusqu'à l'épicerie, c'était à qui approcherait son micro le plus près de sa moustache et les vendeurs de sodas et de hot dogs ont rappliqué. S'il avait quitté sa décharge, le populaire Harley aurait sûrement braillé « Bienvenue en Amérique ».

Le malheureux Jewell avait vite été promu suspect numéro un. Les fédéraux ont débarqué chez lui avec un mandat et retourné sa bicoque de fond en comble. Ils ont pris ses empreintes, prélevé ses cheveux, et sont ressortis en emportant la plupart de ses possessions, ses livres, ses cassettes vidéo et tout le contenu de son dressing. Du seuil de sa porte, le rouquin invectivait les journalistes pendant que sa mère roulait des yeux épouvantés. C'était d'autant plus pathétique que, sans son intervention, il y aurait eu un nombre bien plus élevé de victimes. Mais des experts en criminologie avaient profilé le coupable et ils étaient formels : il s'agissait d'un Blanc frustré issu d'une famille monoparentale, membre de la police ou apparenté, qui cherchait à attirer l'attention sur lui. Jewell correspondait pile-poil à la description. Le quotidien d'Atlanta avait même publié sa photo en première page et titré : « Voilà le héros poseur de bombe ». Les médias télévisés avaient surenchéri. Il était devenu la bête noire de NBC et CNN qui se demandaient même s'il n'avait pas quelque chose à voir avec l'accident du vol 800. L'horreur. Ces deux drames consécutifs avaient rendu l'atmosphère des Jeux oppressante et se répercutaient sur mes relations avec Sam. En dehors de nos allers-retours à l'IBC et de nos virées nocturnes au *Old South*, on sortait à peine du *Westin*. Gagnés par l'angoisse et la paranoïa générales, on frisait l'asphyxie.

– Il faudrait qu'on bouge de là, avait suggéré Sam. Je finis par étouffer dans cette piaule.

J'ai dit « D'accord, on pourrait aller faire des courses pour s'aérer ».

Ted me rebattait les oreilles avec le *mall* de Lennox :

– C'est le plus grand centre commercial du monde, Anna. Tu ne peux pas quitter Atlanta sans avoir vu ça.

J'ai transmis son enthousiasme à Sam, qui a maugréé. Le shopping n'était pas son truc. N'empêche, il a capitulé. J'ai lu dans ses pensées que ça me faisait un point commun avec Betty. Ce qui ne valait pas pour Lorenz et lui.

Lorenz adore comme moi les *malls* américains, ces enfilades de béton et d'acier plantées au milieu de nulle part où on trouve tout. Les stands et les boutiques regorgent d'objets de consommation typiques du pays, on en ressort toujours avec une profusion incroyable de futilités : des magnets Heinz, Campbell Soup, I love Lucy, des tee-shirts improbables, des cartes de base-ball, des œufs surprise Silly Putty et autres *Mr Potato head.* Au bar, on rafle les sous-bocks de bière locale et de whisky et on termine toujours au Walgreen, en remplissant des Caddie de Listerine à la menthe, de canettes de Dr Pepper, de Crackers Jack, de cookies Oreo plus des dizaines de condiments en tout genre qu'on ne touche jamais. Une fois à la maison, on ne sait pas où les caser, mais les packagings nous font rêver.

Le lendemain, Sam et moi, on a pris Marta – nom du métro d'Atlanta – et on a filé à Buckhead, un quartier excentré de la ville. Il y avait un monde fou dans la rame, des Noirs pour la plupart. Ils nous détaillaient comme s'ils n'avaient jamais vu de Blancs. Ils cahotaient sur les banquettes, impassibles et absents, ils n'avaient pas l'air détendu des usagers du dimanche. Ils fixaient les pancartes publicitaires d'un œil morne, les sourires bondissants des athlètes Nike et Coca-Cola les laissaient de marbre. De toute évidence, ils n'avaient pas la tête aux Jeux. Ils s'épongeaient les tempes, les wagons n'étaient pas climatisés. Sam et moi étions plaqués l'un contre l'autre, il me pressait la main. Des amoureux ordinaires. La vraie vie. On se laissait bercer par le roulement des pneumatiques sur les rails. À l'arrêt, les portes chuintaient comme des semelles de gomme dans la neige fraîche. J'ai songé qu'à Zermatt, elle aurait fondu en une seconde.

On est descendus à la station Lennox, le *mall* était au niveau 3. Aux États-Unis, le dimanche est un jour ordinaire, tout est ouvert.

On a passé deux heures à déambuler dans les allées, j'ai fait mon plein de gadgets inutiles. Des sets de table Budweiser, une salière James Dean, avec trois trous sur le dessus de la tête et un poivrier Marilyn Monroe, avec un seul trou. Surtout, on a traîné dans les rayons de Books-A-Million. Sam a dévalisé toute une étagère sur les criminels américains.

Je lui ai confié que ce que je préférais à New York, c'est le Barnes and Noble de la 5e Avenue. Celle du film *Falling in love*, où Meryl Streep et Robert De Niro se tamponnent et échangent leurs bouquins sans faire exprès. Le jour de Noël, Meryl Streep offre à son mari le manuel de jardinage destiné à la femme de Robert De Niro, et elle, à la place, se retrouve avec un album maritime. Sur le coup, ça fait rire tout le monde, jusqu'à ce que les deux étourdis se revoient par hasard et qu'ils tombent dingues amoureux. Ce Barnes and Noble en jette sous son auvent émeraude. Dedans, ça sent le cuir et le bois, le parquet luit, les escaliers grincent, on se croirait dans un manoir anglais. Avec Lorenz, on a passé des heures dans le labyrinthe des allées, à parcourir les rayons vieillots et à chahuter les piles de best-sellers aux titres plus accrocheurs les uns que les autres. Les éditeurs américains sont des as dans ce domaine. Lorenz s'extasie devant les couvertures en relief, aux lettres en or ou argent laqué, il embarque tout. Il prétend que c'est pour son boulot, mais, la vérité, c'est que chaque ouvrage crie au secours. On se fait avoir à tous les coups. On ressort de là croulant sous le poids des bouquins et, une fois à l'aéroport, on se ruine en supplément de bagages.

Sam était surtout intéressé par *Falling in love*.

— Ils font quoi, dans la vie, tes amoureux ? il a demandé.

— Frank est architecte et Molly est décoratrice.

— Est-ce que Frank aime sa femme ?

— Autant que Molly aime son mari.

Un ange est passé, les ailes dégoulinantes de culpabilité.

— Et ils gèrent comment ? il a continué.

— Ils entament une liaison. Ils se retrouvent en cachette dans des hôtels de Manhattan.

— Et après ?

Je l'ai regardé droit dans les yeux.

— Après, ils décident de rompre, pour ne faire de peine à personne.

Il a dégainé une Lucky Strike avec une moue bravache, tapoté sa poche arrière et extirpé son briquet.

— Ils se quittent et quoi ?

— Et rien. Sauf qu'ils se rencontrent de nouveau au Noël d'après dans le même Barnes and Noble…

J'ai laissé exprès la phrase en suspens. Sam a fait claquer la roulette de son Dupont. Un modèle en argent, gravé « S.B. », probablement pour Sam et Betty. Il a aspiré une grosse bouffée.

— Ne me raconte pas la suite, il a soufflé, ça me gâcherait le suspense.

Je ne lui ai donc pas révélé la scène du métro, quand on comprend qu'après un an de tergiversations, ils sont mûrs pour plaquer mari et femme. J'ai fait semblant de m'intéresser à une biographie de Jackie Kennedy et il s'est concentré sur un pavé barré d'un ruban jaune, marqué « *Crime Scene* ».

— Ça veut dire quoi, « *forensic* » ? il a demandé.

J'ai traduit « médico-légal ».

Il a dit « Anna, en anglais, t'es vraiment la *number one* ».

On a filé vers les caisses, chacun dans une file, et on a attendu notre tour de payer. Il a sorti une liasse de dollars et il a fallu que je l'aide à aligner la somme exacte sur le tapis du comptoir.

— Tu ne veux pas rapporter quelque chose à ta femme ? j'ai suggéré.

— J'y pensais, il a fait.

Sa réaction m'a agacée. J'espérais qu'il réponde par la négative.

— Dans ce cas, je préfère te laisser t'en occuper tout seul.

Il a dit « OK, on se retrouve chez Gap dans une demi-heure ». J'ai tourné les talons en rageant. Quelle imbécile ! Lui fournir une occasion de penser à Betty. Franchement ! Et lui qui avait saisi la perche. Par dépit, j'ai acheté un col roulé en cachemire blanc à cinq cents dollars pour Lorenz, une folie que j'ai fait empaqueter de manière spectaculaire, avec une débauche de rubans. La vendeuse a pris une voix exagérément complice en louchant sur mon alliance.

— Votre mari a de la chance, elle a minaudé.

En même temps, elle m'adressait des clins d'œil suggestifs qui m'ont flanqué la frousse.

La demi-heure passée, j'ai déboulé chez Gap en exhibant mon paquet. Je me suis retenue d'interroger Sam, c'est lui qui a abordé le sujet.

— Je n'ai rien trouvé, il a dit. Tu m'as manqué. Je suis perdu sans toi.

J'avais l'air maligne, avec ma cascade de rafia qui dégoulinait jusque par terre. J'avais honte de moi, de ma mesquinerie à propos de Betty, que j'ai créditée sur-le-champ d'un capital de sympathie illimité.

— J'ai vu des tee-shirts pas mal chez Banana Republic, j'ai dit.

Je l'ai guidé chez Banana.

Il a parcouru le rayon femme. Un véritable empoté. J'ai encore dû lui montrer des tee-shirts potables.

— J'aime bien le bleu avec des étoiles roses, j'ai dit.

Il a répondu « Moi aussi ». Sauf qu'il a hésité.

— Excuse-moi de te demander ça… Betty a à peu près ton gabarit. Je prends quelle taille ?

J'ai attrapé deux *small*. Un pour elle, un pour moi. J'ai enfilé le mien *illico*. C'était un modèle hideux et *flashy*. Je l'ai choisi exprès. Et j'avais l'intention de le porter un maximum. Chaque fois que Betty l'enfilerait, Sam penserait à moi.

Le midi, on a déjeuné dans un Delicatessen en sous-sol. On a pris notre tour derrière le cordon, il n'y avait que des familles, genre *middle class*, les mômes portaient des casquettes Coca-Cola, des jeans trop larges retroussés en bas, ils étaient tous chaussés de Nike, des vrais paquebots. On les écoutait babiller, ils ne parlaient que des Jeux. Ils étaient fous des Jeux. Une serveuse jaune vif nous a fait signe, avec un enthousiasme exagéré.

— Hy, je suis Frances.

— Hy, Frances.

J'ai commandé une Bud, et Sam un Seven Up, un hamburger et des nuggets.

— Avec ou sans fromage, le hamburger ?

— Avec.

— Et les nuggets, avec de la salade ou des *French potatoes* ?

— Des *French potatoes*, j'ai dit.

— Et en dessert ?

— Deux milk-shakes à la fraise.

— *Very good choice* ! a jubilé Frances.

Elle a filé à fond de train vers les cuisines, une vraie boule de flipper. J'ai dit à Sam que je l'aimais. Il a souri, il n'a pas répondu. Autour de nous, ça bourdonnait, la rumeur normale des *malls*. On gelait à cause de la clim. Sur un écran géant, on diffusait un match de base-ball.

La boule de flipper a rappliqué.

— *Enjoy your meal.*

La bière glacée m'a anesthésié la gorge.

— Tu sais d'où vient le succès de la Budweiser ? j'ai dit à Sam.

— Son goût ?

— Non, c'est à cause du début du mot : « *bud* » qui signifie « copain » ou plutôt « pote ». Les publicitaires ont joué là-dessus avec un slogan du style « Quand tu dis pote, t'as tout dit ».

— C'est malin, comme combine.

— Au point que c'est devenu un symbole d'amitié.

Je lui ai montré comment les Américains broyaient la canette dans leur poing après l'avoir vidée. Il a sifflé.

— Anna, t'es une vraie gringa ! T'as une histoire sur les nuggets ?

J'ai secoué la tête.

— T'es pas si calée que ça, en définitive, il a gloussé.

M'avoir collée avait l'air de le réjouir. Ça m'a agacée. Il a saisi le flacon de moutarde French's, qui trônait sur la table, et il s'est marré.

— Regarde à quel point tes potes sont cons, il a dit. Ils écrivent « *America's favorite mustard* » et ils l'appellent *French's*... Moutarde française ! En plus, rien à voir avec la nôtre. Leur saloperie est sucrée !

Je tenais ma revanche.

— French's ne veut pas dire « français », j'ai rectifié. C'était le nom d'un épicier new-yorkais. T'as jamais entendu parler de Robert Timothy French ? Ce sont ses fils qui ont inventé ce condiment. D'où le *s* à la fin.

J'avais parlé sur un ton calme, mais narquois. Il a levé le pouce.

— Au temps pour moi, Anna. Tu crois que la moutarde de ton Timothy peut rendre mes nuggets consommables ?

Ils baignaient dans l'huile mais on s'en fichait. Déjeuner ensemble au grand jour, se passer le sel ou la French's était miraculeux. On se caressait les genoux sous la table en se donnant la becquée. Je glissais une frite après l'autre entre les lèvres de Sam et il cueillait mes bouchées de hamburger au bout de ma fourchette. Le schéma ridicule des imbéciles énamourés. Et qui les distingue à coup sûr des couples mariés. Autour, les familles s'agitaient. Une petite fille à manières de *pom-pom girl* se faisait chahuter par son frangin boutonneux.

— Barret ! elle beuglait. Arrête de me pincer !

— La ferme Jamie, ou je te flanque une tarte.

Jamie s'est mise à pleurnicher.

— Maman, papa, Barret veut me taper.

Les parents impassibles bâfraient, ils n'ont pas levé le nez de leur platée de poulet au maïs. La mère devait peser dans les 300 livres et le père ressemblait à un gardien de troupeau, n'empêche, j'aurais donné n'importe quoi pour qu'on soit à leur place, Sam et moi. On aurait emmené leurs deux pestouilles pique-niquer à Labor Day, on leur aurait fait griller des brochettes de marshmallows et sauter du pop-corn. Ils se seraient chamaillés toute la journée mais ça ne nous aurait pas empêchés d'être heureux comme pas possible. J'ai demandé à Sam s'il voulait des enfants. Il a grogné qu'il n'était pas pressé, mais que Betty commençait à mettre la question sur le tapis.

— Et toi ? il a fait. T'as l'intention de t'y coller un jour ?

La formulation manquait d'élégance.

— Tu veux savoir si j'ai envie d'avoir un enfant avec Lorenz ?

L'évocation de Lorenz a déclenché chez lui un retrait brusque de sa fourchette. J'ai gardé la bouche ouverte exprès, mais il a enfourné sa bouchée de nuggets en maugréant « Si c'est le cas, alors tintin ».

— Pourquoi tu poses des questions si tu ne veux pas connaître les réponses ? j'ai demandé.

— Je plaisante, Anna... bien sûr que ça m'intéresse...

— Alors la réponse est « oui ». On veut fonder une famille.

— Pourquoi avoir attendu dix piges ?

— Ça n'est pas arrivé, voilà tout. Crois-moi, ce n'est pas faute d'avoir essayé...

Je reconnais que la chute était maladroite. Ça lui a coupé l'appétit net.

— Épargne-moi tes séances de radada, il a grogné.

Il a réclamé l'addition. La boule de flipper a rappliqué aussi sec en précisant lourdement que le service n'était pas compris.

— Elle nous prend pour des Français ou quoi ? a grogné Sam.

Pour détendre l'atmosphère, je lui ai suggéré qu'on devrait sortir d'Atlanta, partir tous les deux une journée entière, n'importe où, de préférence loin, je ne travaillais pas le dimanche d'après. Il a dit qu'il ne savait pas s'il pourrait se libérer.

— Sam, on est le 28, il nous reste sept jours…

Je le revois, à ce moment-là, si pâle sous l'éclairage des néons, avant Buckhead, je n'avais jamais remarqué ses cernes. Ils creusaient des tranchées violettes sous ses yeux, il paraissait si fatigué. Il a deviné ma pensée, passé une main derrière sa nuque :

— Je suis à cran. C'est le contrecoup de la deuxième semaine. Tout le monde passe par là.

Je ne l'ai pas contredit.

La vérité, c'est qu'on ne mangeait rien et qu'on ne dormait pas, ou deux heures à peine, aux alentours de 5 heures du matin. Physiquement, on était râpés. Il y avait autre chose. On commençait à prendre la mesure de la catastrophe à venir.

Comment on allait faire, après Atlanta ? Comment on allait pouvoir rentrer chacun chez soi l'air de rien ? Comment on allait vivre l'un sans l'autre ? À des centaines de kilomètres. Il me manquait déjà. Je le regardais aspirer son fond de milk-shake, des petites bulles de crème et d'air escaladaient sa paille et l'amalgame rosé bourdonnait jusqu'à ses lèvres. Je voyais, dans le faisceau de la lumière des néons, l'affolement des particules qui gravitaient autour de lui. L'infiniment petit qui gesticulait quand il bougeait. C'est lui qui provoquait ça. Toute cette énergie. Et il me manquait, oui. J'imaginais après les Jeux, l'affolement des mêmes particules dans un espace sans mon amour. Je me suis levée et on s'est collés sur sa banquette prévue pour une personne et demie. La fameuse banquette matelassée en vinyle rouge vif des tableaux de Hopper. Sur le mur était vissé un minijuke-box. J'ai sorti un *quarter* et sélectionné la chanson B6, *Stand by your man.* Le son était épouvantable.

Stand by your man
And show the world you love him
Keep giving all the love you can.

Je me suis pendue au cou de Sam en singeant Tammy Wynette. Je nous imaginais dans la cour d'un lycée d'Atlanta, pendant notre dernière année avant l'université. Il aurait conduit une Buick Skylark décapotable, la plus belle voiture du monde, avec le V chromé sur la carrosserie et la flèche sur le capot avant, et on se serait garés dans un *drive-in*, pour voir un film en plein air dont on aurait manqué la moitié. Le dimanche, j'aurais applaudi ses exploits au base-ball, je lui aurais envoyé des baisers depuis les gradins et on aurait fêté ça dans un *Johnny Rockets.* La chanson s'est terminée. J'ai appuyé sur H8. Je l'ai embrassé sur la bouche, en bombant le torse et en secouant mes cheveux comme les teenagers de *Grease.* Et j'ai fredonné à son oreille : « *You're the one that I want.* »

Pour une fois, il s'est laissé faire en public, il n'a pas jeté de regards furtifs par-dessus mon épaule. Il m'a rendu mes baisers en plein Delicatessen, il aurait pu y avoir tout Canal Plus autour, il s'en fichait.

(You are the one I want), o, o, oo, honey.
The one that I want.
(You are the one I want), o, o, oo, honey.
The one that I want
(You are the one I want), o, o, oo
The one I need.
Oh, yes indeed.

— Tu crois qu'on s'aimera toujours comme en ce moment ? il a demandé.

— Les noix de Najid ont prédit qu'on était liés pour l'éternité, Sam.

Il n'a rien rétorqué. J'ai toujours pensé que, dans la vie, il n'existe pas de voie précise. Aucun chemin tracé d'avance. Tout s'écrit au jour le jour, jour après jour. Nous, les êtres humains, sommes les fameux *Riders on the storm* de Jim Morrison. Le disque rouge des Doors. Des cavaliers dans la tempête, oui. Voilà tout ce qu'on est. On navigue à vue, sans possibilité d'anticipation. Les caprices de la tempête n'étant jamais les mêmes, l'expérience ne nous sert à rien. On doit se contenter d'ajuster sa conduite au jugé. Les événements n'obéissent à aucune logique, ils s'enchaînent de manière anarchique, désordonnée. On n'a pas le contrôle et, quoi qu'il arrive, qu'on garde le cap ou qu'on se plante dans le décor, demain n'est pas à nous.

9

SAM

Hier soir, j'ai loué *Falling in love* au vidéoclub, et je l'ai regardé avec Betty. Je me suis identifié au Frank du film. L'architecte, joué par De Niro. Il était peinard avec sa nénette dans leur petit nid du New Jersey. Et il a fallu qu'il tombe sur Meryl Streep. Physiquement, elle ne casse pas des briques. C'est Meryl Streep, quoi. Pas Marilyn. Et ils vivent pas à Hollywood. Leur cadre quotidien, c'est un putain de métro, genre Marta, et une putain de banlieue, genre Buckhead. On y croise les mêmes ratés penauds et blafards. Les mêmes familles Dugenou, flanquées des mêmes sales mouflets. La *pom-pom girl* à la gomme et son frangin cratérisé du Delicatessen de Lennox, comment ils s'appelaient déjà ? Mollie et Barnett ? Des consonances dans ce style. Ils étaient moches et mal élevés, ils n'arrêtaient pas de se foutre sur la gueule, n'empêche, ils avaient touché la fibre maternelle d'Anna. Elle avait évoqué son envie de tomber en cloque et m'avait narguée avec ses plans X avec Lorenz. Quelle conne !

Betty a trouvé *Falling in love* épatant. Elle a dit que les amants avaient drôlement bien fait de plaquer leur petite vie pépère, même si leurs conjoints respectifs étaient hyper-sympas. Elle m'a fait tout un bla-bla sur la passion, comme quoi il ne fallait surtout pas y renoncer, la vie était beaucoup trop courte.

— Franchement Sam, j'ai pas raison ?

J'ai bredouillé que probablement que si.

— Merde, si ça t'arrivait, tu ferais quoi ?

J'ai dit que je ne pouvais pas me prononcer. Pour savoir, faut être confronté à la situation.

— Heureusement que c'est pas le cas, elle a gloussé.

Je me suis épongé mentalement le front et j'ai songé que comme Frank avant Molly, avant Anna, j'avais une chouette vie.

Oui, avant Anna, avec Betty, Paris était une fête.

Tous les deux, on sortait pas mal, on allait à la *Closerie des Lilas*, un rendez-vous de fêlés qui tiennent à peine debout passé une heure du mat. On s'asseyait à la table d'Hemingway, il a sa plaque en cuivre gravée. Dans ses années parisiennes, Hem était un pilier de la *Closerie*. Il habitait rue Notre-Dame-des-Champs, comme nous. Je commandais un daiquiri, Betty prenait un gin-Coca et on matait le gratin, les vedettes et les journaleux, on ne se lassait pas de tout ce beau linge qui racontait des foutaises. On pouvait les écouter dégoiser pendant des heures. Le cinéma qu'ils se faisaient ! C'était à peine croyable. Et fallait voir les tronches qu'ils tiraient. Ils se prenaient pour des artistes maudits, ils se la jouaient désabusés, style les gars qui en auraient trop vu et qui auraient tout pigé avant tout le monde. La vérité, c'est qu'ils s'emmerdaient ferme. Betty et moi, ça nous faisait marrer. Dans le tas, il y avait quand même des types sensas. Il y avait un pianiste de jazz célèbre toujours rond. Au bout de dix-huit vodkas, il rampait jusqu'au piano.

— Betty, ma beauté, tu veux que je te joue quoi ?

Des pétasses à talons rappliquaient aussi sec autour.

— Francis, joue-nous *Michelle, ma belle.*

— Tu t'appelles Michelle, connasse ? il braillait. Et comme en plus, t'es un boudin, tu te la boucles !

Betty lui réclamait tout son répertoire, y compris celui qu'il avait pondu pour les copains. Au clavier, ce type est un virtuose, donc, l'enchantement durait des plombes. Il ne s'arrêtait que quand son front capotait sur les touches, on devait alors le recaler devant le comptoir. Comme le bougre était lourd, il fallait s'y coller au moins à trois. Après ça, il nous cassait les couilles jusqu'au bout de la nuit avec sa femme.

— Et qu'est-ce qu'elle est belle. Et qu'est-ce que je l'aime, il beuglait à la cantonade.

Betty et moi on se disait que la nénette devait surtout être très très cool pour se goinfrer un barjot pareil depuis trente piges.

Il y avait aussi ce vieux barré de Roda-Gil. Un seigneur. Lui et moi, on se fréquentait depuis des lustres, on traînait dans les mêmes *bodegas*. À l'époque, sa femme Nadine l'accompagnait. Ils formaient un couple hors norme. La grande classe. Lui n'arrêtait pas de jacter, la vie, l'amour, Dos Passos, Ezra Pound, la guerre d'Espagne, Robert Capa, tout ça. Elle, elle ne disait rien, elle observait. Elle avait des yeux jaunes de panthère, avec des pupilles presque rectangulaires. Ça lui donnait un regard dense, un poil inquiétant. Elle ne la ramenait jamais et elle ne buvait que de la flotte. Elle était belle et vivante, elle matait Roda qui fumait clope sur clope, avalait whisky sur whisky, elle le papouillait de l'âme et elle souriait. Elle était dingue de lui, et réciproquement. Je parle de ça, ça fait déjà un bail. À l'heure qu'il est, Nadine repose chez moi. Je veux dire chez moi quand j'aurai passé l'arme à gauche, c'est-à-dire au cimetière du Montparnasse. Pour la trouver, il faut vraiment y mettre du sien. Avec Betty, on a beau avoir assisté à son enterrement, on n'est pas foutus de savoir dans quelle rangée elle est.

Après la *Closerie*, on rentrait chez nous dans les vaps. On pensait qu'on avait un pot monstre de s'être rencontrés.

— Tu te rends compte qu'on va dormir ensemble, elle disait.

Je me rendais parfaitement compte et je bichais. Même après six ans, la perspective d'une nuit avec ma femme était de loin ce qu'il pouvait m'arriver de mieux.

Une ou deux fois par semaine, on se faisait une toile au Gaumont ou aux Sept Parnassiens, on n'a jamais aimé trop s'éloigner de notre quartier, on allait à la séance de 10 heures. Avant, on avalait des huîtres à *La Coupole*, des pleine mer pour elle, moi, je n'aime que les fines de claire, et encore, il ne faut pas qu'elles soient grasses. On tombait d'accord pour le pouilly-fumé Ladoucette, qu'on sirotait comme de la limonade, même qu'à la fin on était complètement cuits.

— T'es sûr que tu veux aller au cinéma ? soufflait Betty.

Je disais « oui ». On sautait le dessert pour ne pas arriver à la bourre à la séance, j'ai horreur de prendre le train en marche, ne serait-ce qu'au milieu du générique. Dans la salle, Betty se pressait contre moi et on ne se lâchait pas la main de tout le film.

Ou alors, on passait la soirée chez des copains, chez Jacques et Valérie. Betty se pomponnait pendant des plombes, elle s'habillait comme pour une cérémonie. Elle essayait toute sa garde-robe, enfilait chemisier sur chemisier avant de tout balancer d'un air lugubre en maugréant qu'elle n'avait rien à se mettre. Pour finir, elle enfilait son éternel jean en stretch, passait un tee-shirt blanc qui moulait ses seins parfaits et venait se planter sous mon nez :

— Sam, dis-moi franchement : comment tu me trouves ?

— Magnifique.

— Non, sans blague ?

Je l'attrapais par la taille et je la coinçais contre la porte d'entrée en essayant de lui arracher ses nippes. Un scénario archirodé.

— Arrête, elle gémissait… après tout le mal que je me suis donné…

Je prenais une mine renfrognée de mâle frustré, et ça marchait. Elle ôtait sa quincaillerie, ses bracelets afghans qui pesaient des tonnes, s'extirpait de son pantalon en se tortillant pendant que je faisais glisser son tee-shirt.

— Ok, Sam. T'as cinq minutes. Ça la ficherait mal d'arriver en retard.

On faisait donc ça en cinq minutes, rhabillage compris, mais elle avait la tête ailleurs. À la bouteille de champ' qu'il ne fallait pas oublier, à la bagnole qu'elle avait garée elle ne savait plus où, aux copains qui risquaient de s'impatienter, bref, elle n'était pas vraiment dans le coup. C'était pas grave, c'était bon.

Depuis mon retour d'Atlanta, je l'ai à peine touchée. Je regarde sa nudité avec détachement, pire, je détaille ses courbes d'un œil critique, j'y vois tout un tas d'imperfections, des contours disgracieux, des rondeurs aux mauvais endroits. Je repère des mollesses au niveau de ses hanches, des vaisseaux éclatés en haut de ses cuisses, tout un réseau de stries bleutées – des vergetures ? – qui plongent dans les creux de sa peau. J'évalue ses proportions, la longueur de ses jambes, le galbe de ses mollets, à la manière d'un peintre insatisfait. Je ne peux pas m'empêcher de comparer ses formes à celles d'Anna et j'ai beau me trouver nul, c'est plus fort que moi. Anna est toujours là, entre nous deux.

Quand je baise avec Betty, c'est Anna que je pénètre. C'est son parfum que je respire, sa peau que je caresse. C'est à elle que je dis « oui ». Que je demande « Tu veux que je vienne ? » C'est elle qui mord mes lèvres, c'est en elle que je jouis. Je me contracte dans son ventre, infiniment, elle gémit « Sam, Sam », je sais qu'elle fait semblant, je lui demande pardon d'avoir été trop vite, Anna, j'avais tellement envie. Elle rit quand je dégonfle entre ses cuisses, cherche à me retenir. « Ne t'en va pas déjà. *Please.* » Et je l'aime pour ça, chaque fois davantage, je l'aime parce qu'elle m'appelle, encore et encore, « Reviens, *my love* », et, bien sûr, je reviens, je reviens petit à petit, et j'entre de nouveau en elle sans crainte et sans hâte, comme un homme rassasié, je la picore, et elle dit « Oui ».

Je suis un salopard. Un minable. Et n'empêche, j'aime Betty à crever.

Elle a remarqué mon manque d'entrain au lit. Elle a dû en parler à ses copines, et une givrée lui a sûrement filé des combines béton pour pimenter le couple. Du coup, ces derniers temps, elle me fait le coup de la nympho à deux balles. Elle allume des bougies partout, fait brûler des bâtons d'encens au musc et déambule dans la maison en nuisette ridicule avec une bretelle qui pendouille sur l'épaule. Elle s'est même acheté des mules à plumes et roule des hanches comme une traînée. Le pire, c'est quand je m'affale devant la télé et qu'elle vient se frotter contre mes cuisses. Elle s'asperge de *Shalimar*, une cocotte capiteuse exécrable qui me pique les narines. J'ai rien contre Guerlain, au contraire, c'est la marque que je lui rapporte des aéroports, mais moi, je choisis les eaux de toilette, des fragrances fraîches, les fleurs de cédrat ou l'*Aqua allegoria* au citron. Et la voilà maintenant en mode poulette cannoise, avec un semis de paillettes de coco-girl sur les pommettes, à me caresser l'entrejambe en minaudant « Chéri chéri ». Inutile de préciser que ça me fait l'effet inverse. Je m'en veux. Je me traite de salaud. J'essaie de me raisonner. *Prends-la dans tes bras, Sam. Dis-lui quelque chose de gentil.* Impossible. Qu'est-ce qui m'arrive ? Merde. J'ai toujours aimé ses petites manies. Sa bouche rouge pompier des grands soirs, ses effets de frusques cochonnes et ses attitudes outrancières de majorette salope. Le fantasme absolu de tous les mecs.

Ouais, avant Atlanta, j'aimais son langage cru, ses suggestions pornographiques et sa démarche empruntée aux putes, c'était un jeu entre nous, avant de la baiser, je devais lui filer un billet. J'aimais aussi ses attentions cucul. Sa façon de poser sa main sur mon front dès que je toussotais, « Chéri, tu as de la fièvre ». Elle fouillait la boîte à pharmacie, brandissait des cachetons, « Avale ça », louait du matos à inhalations, ça puait l'eucalyptus dans toute la baraque. « Surtout, reste au chaud. Tu veux que je te remplisse une bouillotte ? » Même quand elle en faisait trop, j'aimais ça. J'étais touché. Maintenant, je me retiens pour ne pas l'envoyer aux pelotes. J'ai envie de lui brailler d'éteindre ses foutues bougies parfumées qui m'écœurent et de se calmer sur les plats épicés. Elle flanque du gingembre dans toute la bouffe, les pâtes, le riz, les légumes, même le poulet en a le cul farci. J'ai le palais à vif et je frise l'ulcère, mais je me la boucle. Je prends ça comme une pénitence, je me dis que je le mérite. Je trompe la femme de ma vie, après tout, des aigreurs à l'estomac, c'est pas si cher payé pour mon ignominie.

La bonne nouvelle, c'est qu'elle a arrêté de me raconter ses embrouilles au boulot. Avant les Jeux, elle était intarissable sur le sujet. J'avais droit à la liste complète des débiles qu'elle avait maquillés, les célébrités comme les pékins, au récit de leurs imperfections physiques et de leurs ravalements. Unetelle a des nibards en silicone, « C'est dingue, Sam, t'as l'impression de toucher des genoux », Unetelle est botoxée et a forcé sur l'acide hyaluronique. Elle me faisait même le détail exact des produits qu'elle leur collait sur la tronche, me citait la marque des fards, des poudres et des rouges à lèvres. Je m'en foutais, mais ses bavardages m'amusaient. Aujourd'hui, je risquerais de lui claquer sèchement le beignet.

J'ai besoin de silence. Besoin de me concentrer.

J'ai accroché un panneau virtuel sur ma pomme. Do not disturb, *Betty. Je suis dans ma bulle avec Anna.*

10

ANNA

Je cours sur le bitume bouillant de Peachtree Street, dans la chaleur moite de l'été géorgien. Je fixe devant moi la tour argentée du *Westin*, monolithe formidable qui troue le bleu brossé du ciel. Je traverse le hall jusqu'aux ascenseurs, je presse la touche du 58e. Pendant la montée, j'ai des papillons dans l'estomac. Je suis en sueur, essoufflée, mon ventre me fait mal. Je frappe à la porte de Sam. Je vois ses yeux, deux aimants verts. Et qui vous regardent comme personne ne regarde. On reste dans l'entrée, on ne se touche pas. On n'ose pas. Pas tout de suite. Ça serait trop violent. Ça irait trop vite, on se ferait mal. On nous entendrait dans toute la Géorgie. Se calmer d'abord. On ne parle pas, pour parler, il faudrait que l'air passe, circule dans la trachée. Sam recule d'un pas, surtout, ne pas l'effleurer. Oublier sa peau. Oublier *Cool Water*. Je vais droit vers le minibar. J'avale une gorgée de Bud, un peu de mousse crépite sur mon menton.

Sam s'affale sur le lit sans tirer l'édredon, pour me signifier qu'il n'y a pas urgence, on peut attendre, la tension va retomber, on a la nuit devant nous. Je m'assieds à côté de lui, j'essaie de suivre le journal de CNN. Il est toujours question de l'attentat du parc du Centenaire, dont l'enquête patine, et de l'énigme du vol 800. Cette affaire-là avance. Des observateurs soupçonnent l'US Navy. Un missile aurait touché un réacteur. Les militaires jurent que non. Impossible. On n'a relevé aucun des dommages caractéristiques d'explosion à haute énergie sur les morceaux de carlingue repêchés dans la mer. Les médias télévisés diffusent des images aériennes de la zone de recherches et zooment sur la nappe de kérosène au large de Long Island. On montre le hangar où s'accumulent les débris de l'appareil, les constructeurs se sont attaqués au puzzle géant, la reconstitution grandeur nature de l'épave, boulon par boulon. La collecte risque de durer des mois et le Meccano, des années. Des experts se chamaillent en direct. Pourquoi la marine patrouillait-elle dans cette zone pile au moment du décollage de cet avion ? Pourquoi y a-t-il des traces de suie sur le fuselage ?

— Sam, tu en penses quoi ? Tu crois à une bavure d'un sous-marin ?

Je tente en vain de l'intéresser au sujet, le bluff ne dure pas longtemps. Des heures qu'on ne pense qu'à ça. Qu'on n'a envie que de ça. Être l'un dans l'autre. On y pense depuis le moment où on a quitté la chambre, ce matin. On y pensait en sortant du *Westin* et pendant tout le chemin de l'IBC. On n'a pensé qu'à ça toute la journée. Au point qu'on a essayé de le faire au bar de la cafète. Il était plein à craquer. Sam a glissé ses doigts sous la ceinture de mon short et amorcé le pèlerinage jusqu'à ce qu'il appelle *L'Origine du monde*. Le tableau de Courbet. Le triangle sacré de la femme ouverte. Il a dit « Je t'emmènerai au musée d'Orsay. Tu verras *L'Origine du monde*. Toujours faire partie de toi, Anna ». On tournait le dos aux tables, on aurait pu aller jusqu'au bout. Sauf que j'ai renversé ma Bud sur le comptoir, le serveur a déboulé : « Vous voulez remettre ça ? » La bière a coulé sur mes cuisses. Une vraie douche froide. La croisade s'est arrêtée là, pour cette fois.

Sam emprisonne mes bras.

— Anna, laisse tomber les Boeing, tu ne te rends pas compte ce que c'est de t'attendre.

— Si, je sais. Ça serre comme un pressoir.
— Alors viens maintenant. *Come on.*
— Tout de suite tout de suite ?
— Oui. Je veux voir briller tes incisives. Tu sais que tu as des dents courtes ? Surtout celles du bas. Je n'ai jamais vu de dents aussi courtes.
— C'est laquelle, ta préférée ?
— C'est les deux du milieu *ex æquo*.
— Et à part ça, qu'est-ce que tu préfères chez moi ?
— Tes jambes. Et toi ?
— Ton sourire. Je n'ai jamais vu personne sourire comme ça. Tu as un sourire unique.
— Qu'est-ce qu'il a de particulier ?
— Je ne sais pas. C'est le tien.
— Et quoi d'autre ?
— Tout.
— Tu aimes mon sexe ?
— Oui.
Comment on dit « sexe », en allemand ?
— *Geschlecht.*
— Dis-moi le mot obscène en allemand. Le pire que tu connaisses.
— *Schwanz.*
— Tu aimes mon *Schwanz* ?
— Oui.
— Dis-le-moi en allemand.
— *Ich liebe deinen Schwanz.*
— Demande-moi de te baiser en allemand.
— *Fick mich* !
— Anna, je ne veux pas te « ficker ». Je veux t'aimer. Comment on dit « fais-moi un enfant », en allemand ?
— *Mach mir ein Kind !*
— Dis-le encore.
— *Mach mir ein Kind.* Et toi, dis-le-moi en français.

— Je veux te faire un enfant.

— Sam fais-moi un enfant, maintenant.

Il vient sur moi avec lenteur, n'ouvre pas les yeux tout de suite. Il commence par sourire, oui, il sourit, il sourit largement, et il s'étire. Tout son corps s'allonge, d'abord les bras, puis les jambes. Il soupire, il se détend, et il vient. Il est souple et, malgré sa carrure, au moment où il me recouvre entièrement, il ne me semble pas lourd. Il ne dit rien, il n'ouvre toujours pas les yeux, il m'embrasse à pleine bouche, mais néanmoins sans exigence. Il a l'assurance tranquille de l'homme qui sait qu'il est attendu et désiré sans avoir à manifester son désir. Il caresse mes tempes, passe les doigts dans mes cheveux, puis replonge en bâillant sur son oreiller. Je sais que son affabilité n'est qu'apparente, que ce rituel est ouvertement sexuel. Mais je joue le jeu. S'il feint la patience, alors moi aussi. Je ne bouge pas malgré l'envie bouillante que j'ai d'agripper ses hanches et de le réclamer tout de suite, sans retenue. Avec des mots crus, obscènes. Des mots qu'à présent il comprend. Je me contiens au maximum, je me concentre sur les rumeurs d'hôtel. Les portes qui claquent, le martèlement croissant des pas dans le couloir, le roulement des chariots, les rires aigus des femmes de chambre noires. Au fait, est-ce que j'ai accroché le panneau « *Do not disturb* » à la poignée extérieure ? J'imagine la tête de l'Éthiopien. « *Room service.* Est-ce que je peux checker le minibar ? » J'essaie de réguler ma respiration sur le clignotement du réveil à cristaux liquides. Une inspiration toutes les cinq secondes. Ne pas oublier d'expirer dans le même laps de temps. *Do not disturb.*

— Sam, ça se dit comment, en français ?

— Ne pas déranger.

Please, *dérange-moi, mon amour.* Je me retiens d'aspirer ses lèvres, de presser mon ventre contre son sexe colossal, un vrai supplice. Je l'injurie mentalement, salaud de Français, si tu crois que je vais te supplier. N'empêche, c'est toujours moi qui flanche la première. Je cueille sa formidable érection à sa base et à deux mains, comme on arrache un arbuste, et je remonte le long du tronc, j'y mets toute ma force. Je ne relâche pas la pression même quand j'arrive à son sommet. Sam ne bronche pas, il continue d'affecter une parfaite impassibilité, je ne sais pas d'où lui vient cette maîtrise. Il faut encore que je l'appelle et que mon souffle s'affole. C'est là qu'il ouvre les yeux, deux lagons verts, seulement à ce moment. Je vois ses pupilles énormes qui lui mangent presque entièrement l'iris, sans ce signe infime, je jurerais que je lui fais autant d'effet qu'une crosse de hockey. Enfin, il consent à imprimer une première ondulation à ses hanches. Je l'embrasse dans le creux de l'aine, le tronc cherche ma bouche, tourne sans hâte autour de mes lèvres, en décrivant des cercles concentriques de plus en plus rapides. Compter mentalement jusqu'à mille. *Do not disturb*. Je ne parviens pas jusqu'à dix. Sam relève lentement le buste, ses bras sont des bouleaux vrillés sur mon bassin.

« *Do you want me ?* »

Petit à petit, il a appris les mots anglais de l'amour, il dit que ça lui plaît, de faire ça en anglais. Qu'il ne l'a jamais fait avant moi. Que je suis sa première version sexuelle originale. Je dis « Oui, *I want you* », il me fait répéter. « *Tell it again*. – Oui, oui, oui *again* et *again*. » Au moment où il s'enracine en moi, les lagons ondulent, virent au mercure comme avant une tempête tropicale. La nature est à l'affût, on ne perçoit rien, pas un bruissement, hormis le gazouillis liquide de l'amour. Sueur, salive, fluides intimes mélangés. La houle gonfle les draps, signe que la tourmente charnelle est près de déferler. Et elle déferle, lame de fond formidable qui trempe les chairs. Le sel goutte au front du capitaine, je glisse ma langue entre ses lèvres de résine, sa barbe du matin écorche mes joues. Son ventre claque contre mon ventre. Une vague contre la coque d'une barque. Mais la soif des chairs est trop grande, la charge les assèche. On entend le frottement de la matière, le crissement cuisant des sexes. Il me regarde, il est tranquille.

— Sam, je t'en prie, baisse la lumière.

Il fait non, il veut voir. Il veut me voir bouger, il dit « Tes mouvements sont à moi ».

— S'il te plaît, il fait trop jour, on laissera la télé allumée.

Il est intraitable. Il veut le jour, des lampes, même celle des néons. Il veut une lumière crue, brutale. Il veut des cernes et des grimaces.

— Sam, ne me regarde pas comme ça. Si tu continues, je ferme les yeux.

— Anna, ne fais pas ça. S'il te plaît mon amour.

Il veut mes yeux au moment où il saute de la falaise, où son ventre ricoche contre mon ventre et pendant toute la plongée de son sexe. Il veut mes yeux à marée haute, il les veut quand il jaillit, par secousses puissantes. Il les veut quand je l'accompagne. Il veut mes yeux chaque fois qu'on fait un enfant. Il se lève, il tire les rideaux. Plan large sur le ciel diaphane de Géorgie. Plan serré sur un fouillis d'éperons, les sommets des tours en face du *Westin*. Vue phallique imprenable. Et zoom sur l'érection phénoménale de mon amour.

Le matin, on file à l'IBC. On a chacun un casque vissé sur les oreilles et on écoute *Time in a Bottle*. On traverse le parc du Centenaire toujours archibondé. Il n'y a presque plus aucune trace de l'attentat. Le FBI a levé le camp et les vendeurs des guérites ont repris leur commerce. Izzy, affreuse mascotte des Jeux, peluche bleue informe aux yeux globuleux, est redevenue la coqueluche numéro 1. Durant le trajet, Sam et moi, on ne se parle pas. Par une sorte d'accord implicite, chacun respecte la réserve de l'autre. Notre silence est un sas, un caisson de décompression avant d'affronter la journée jusqu'à nos retrouvailles du soir. À cause de la densité de la foule, on avance au pas. Parfois même, pressés par le flot, on piétine à l'arrêt et j'en profite pour broyer sa main.

On se sépare à l'entrée du bunker. On passe au contrôle l'un derrière l'autre. Pour pénétrer cette zone sinistre, type ancien hall d'aéroport est-allemand, il faut montrer patte blanche, vider ses poches dans un bac, franchir un portique électronique, les sacs sont passés au scanner et, en cas de signal d'alarme, on est palpés au corps. Depuis la bombe, les gars de la sécurité sont encore plus paranos, ils nous reluquent d'un œil mauvais, visiblement, ils n'aiment pas les étrangers.

Je marche jusqu'à l'escalator, que j'emprunte toujours la première ainsi que le veut Sam. « Comme ça, je peux continuer à te regarder », il dit.

Pendant toute la descente jusqu'au niveau moins 1, je lutte pour ne pas me retourner, grimper les marches à reculons et me pendre à son cou. Je songe, *Au diable la prudence, au point où on en est, autant se ficher de tout.* Après la nuit qu'on vient de passer, il ne subsiste rien du monde, celui d'avant, qui a précédé le big bang. Une fois en bas, je m'engouffre dans le couloir et je longe les portes des studios. La RAI, la TVE, la ZDF, Canal. Je pousse bravement celle de la RDA, où, en dépit de la lenteur de mon allure, j'arrive toujours essoufflée, comme si je venais de courir le marathon olympique.

Ted me presse d'aller boire un verre à la cafète. Je dois trouver un prétexte pour refuser, je ne me vois pas faire le chemin inverse, reprendre le couloir et me retrouver nez à nez avec Sam quelques minutes après l'avoir quitté. Et l'attente commence. Redoutable. Les heures passent et le manque ne passe pas. L'étau ne se desserre pas. Aujourd'hui moins qu'hier parce que aujourd'hui est un jour de moins. Et ça va durer jusqu'au soir. Et ça va durer après Atlanta.

On le savait déjà à Atlanta. On savait que le manque durerait après. Que l'étau ne se desserrerait pas. Et on avait raison.

Un soir, on a frappé à la porte de Sam.

— Ne réponds pas, j'ai dit.

— Ça doit être Najid, Anna.

Notre copain éthiopien nous apportait peut-être une petite gâterie, du champagne ou une *apple pie*, il savait que j'en raffolais.

Sam est allé voir dans l'œilleton, et a grogné « Merde... Marco ! ». Au lieu de faire le mort, il a dit « Une minute » et m'a fait signe de me taire. Il s'apprêtait à ouvrir. Je pensais que le Marco en question resterait sur le palier, mais Sam n'a pas pu l'arrêter, il s'est précipité dans la chambre, j'ai juste eu le temps de m'enfermer dans la salle de bains. Une fois à l'intérieur, j'ai réalisé que j'avais laissé mes tennis blanches au pied du lit, c'était malin ! J'ai entendu des cris surexcités, apparemment, il y avait une urgence. Quelqu'un a allumé la télé et monté le son à fond. J'ai compris que c'était la finale du 100 mètres masculin. Je n'ai pas un intérêt forcené pour les performances olympiques, mais tout de même, rester bouclée debout, dans le noir, pendant que Donovan Bailey arrachait sa médaille d'or, c'est surréaliste, surtout à Atlanta ! Je devinais le malaise de Sam, il devait se sentir minable, de l'autre côté de la paroi. Heureusement, Marco n'a pas été pris d'une envie pressante.

Un peu plus tard, j'ai entendu la porte claquer. J'étais seule dans la chambre, Sam m'avait plantée là. Une fois sortie de ma cachette, je suis restée un long moment à guetter les bruits du couloir. Je pensais qu'il allait se contenter d'un verre au bar et remonter, mais non, les minutes passaient, et toujours pas de Sam.

Son absence en ce lieu familier m'a sidérée. La chambre avait l'air d'un mausolée, le silence y était assourdissant. Le lit désert occupait tout l'espace, on aurait dit celui d'un mort. J'ai pensé *La solitude, la voilà.* La monstrueuse, l'infinie solitude. Elle est là où, l'instant d'avant, à cet endroit, on était deux. L'instant d'avant, à cet endroit, ma vie avait un sens. Et chaque élément, une utilité. Le cosy à la tête du lit supportait mon désordre, ma Swatch Scuba orange, ma quincaillerie d'été, des bracelets et des bagues en toc, une poignée de dollars, tout ce que j'éparpillais ici et là avant ma plongée dans les bras de Sam.

L'instant d'avant, la pièce était vivante. Les arbres bruissaient dans les reproductions clouées au mur, Savannah au temps de la guerre de Sécession, les balles de coton voltigeaient au-dessus des plantations et on entendait les chants mélodieux des Noirs... « *Summertime, and the living is easy. Summertime, and the coton is high. So hush, little baby... don't you cry.* »

L'instant d'avant, deux fantômes joyeux enfilaient les draps et les lampes allumaient les yeux de Sam. À présent, Savannah était baignée par une rivière de larmes. La disparition de mon amour avait tout abîmé, et je m'en voulais de contempler cette désolation et je lui en voulais à lui, d'avoir rendu ça possible. Sa valise était grande ouverte, ses jeans pendaient sur l'envers aux dossiers des fauteuils et, sur son bureau, c'était le chaos. Des papiers s'entassaient en vrac sous des piles de cassettes vidéo, le bloc à côté du téléphone était gribouillé et tout était couvert de cendres de cigarette. L'odeur de tabac froid m'a écœurée. La touche orange du répondeur clignotait, je me suis retenue pour ne pas la presser. Est-ce que j'avais envie d'entendre la voix de Betty ? Je n'aurais rien compris à ses messages, mais je me serais fait d'elle une idée plus nette. Sam me l'avait décrite physiquement. Une brune longiligne avec des yeux châtaigne. C'était plutôt sommaire. Est-ce qu'il avait emporté une photo d'elle ? J'ai soulevé son bazar, vu l'état de la tablette, il n'aurait aucun moyen de s'en apercevoir. Je suis tout de suite tombée sur elle. Je devrais dire sur eux. Ils étaient en maillot sur une plage, cette garce était bien fichue. Ce qui m'a agacée, c'est son attitude. Elle était enroulée à Sam comme du lierre retombant, et lui posait avec une stupide expression béate. Une glacière grande ouverte trônait à côté d'eux, Betty aimait les prunes et le Coca. Vu son gabarit, ça devait être du *light*. Au dos du cliché, j'ai lu « Biarritz, juillet 1995 ». Ce n'était pas l'écriture de Sam. Betty devait être du genre à fabriquer des albums-souvenirs. D'ailleurs, des traces de colle et de Canson noir dans les coins indiquaient que la photo avait été arrachée à la hâte. C'est elle qui avait dû la glisser dans la valise. Histoire peut-être que Sam ne soit pas tenté à Atlanta. J'ai pensé *Raté, ma vieille.*

Je reconnais que ce n'était pas brillant de ma part. D'autant que j'ai déjà fait ce coup à Lorenz. Sauf que moi, je glisse des portraits de notre mariage. Je portais une robe fourreau avec un large décolleté, c'est plus sexy qu'un deux-pièces. Surtout dans le cas de Betty, ce jour-là. On voyait les traces de bronzage laissées par le modèle qu'elle avait dû mettre la veille, il devait être plus couvrant au niveau des balconnets, le haut de sa poitrine était cramoisi. J'ai rangé la photo au bas du fouillis, avec un peu de chance, quand il bouclerait ses bagages, elle filerait à la poubelle en premier.

J'ai imploré le ciel. Faites que Sam revienne. Mon Dieu, ressuscitez la magie de l'endroit où Vous nous avez créés. Ou c'est cette vision que je vais garder, je vais emporter le souvenir de l'apocalypse. Bon sang ! Qu'est-ce que je fichais là ?

Je ne me suis pas éternisée. J'ai cherché mes chaussures et mis du temps à les dénicher, Sam les avait poussées sous le lit. J'imaginais son embarras devant le dénommé Marco.

Deux petites tennis blanches de taille 38 au milieu de la pièce, on ne devait voir qu'elles !

Il m'a appelée sur le coup de minuit.

— Je suis désolé, je n'ai pas pu faire autrement. Marco connaît Betty, j'ai paniqué.

Je l'ai laissé plaider sa cause avant de lui avouer que pendant tout le temps que j'avais passé dans la salle de bains, j'avais été en proie à un fou rire irrépressible. On se serait cru dans un film, une comédie, pire, une pièce de boulevard. Dans une scène où les portes n'arrêtent pas de s'ouvrir et de se refermer sur des personnages exaspérés. Lui jouait le mari empêtré, moi la maîtresse du placard. Je n'ai pas évoqué le pique-nique de Biarritz.

— N'empêche, a gémi Sam, j'ai été lâche. Je n'aurais jamais dû t'abandonner comme ça.

— Ce sont les inconvénients de ce genre de situation, j'ai répondu.

Sam, qui refusait de placer notre relation sur un plan ordinaire, a objecté que notre amour relevait du sublime et devait donc être exempté de toute vulgarité.

— Je ne vois pas comment on pourrait l'éviter, j'ai dit. Il faut regarder les choses en face, on est mariés. Jusque-là, on n'a vécu que le bon côté des choses, mais le reste va avec. Les mensonges et la tromperie font partie du tableau.

— Anna, je peux descendre ?

J'ai dit « Oui », bien sûr. Ma chambre à moi était vivante. J'ai effacé les messages de Lorenz et ouvert ma porte. Sam a débarqué en nage.

— Ça te dérange si je prends une douche avant ?

Je ne lui ai pas demandé avant quoi, et on l'a prise ensemble. On est restés longtemps sous le jet.

Pour la première fois, on a évoqué l'aspect moche de notre histoire. Qu'on le veuille ou non, on avait enclenché un sale processus. Non seulement on trompait Lorenz et Betty mais, au téléphone, on leur jouait la comédie. On devait être des monstres pour leur exprimer des sentiments aussi frelatés avec autant de facilité !

— Mais il ne s'agit pas de sentiments frelatés ! s'est indigné Sam. J'aime ma femme et tu aimes ton mari !

— On les aime, oui, comme des entités inertes et lointaines. Comme on aime nos chers disparus, et encore, ceux-ci nous manquent véritablement.

Sam a pris une expression horrifiée. Je continuais néanmoins à penser que j'avais raison. À quoi bon nous voiler la face ? On ne valait pas cher.

— Tu as une solution ? il a dit.

— Non. Ou plutôt si… mais je doute qu'elle nous convienne.

— Dis toujours…

— On pourrait en rester là.

En dehors d'une rupture, en effet, je ne voyais pas ce qu'on aurait pu tenter d'autre. Il a fondu.

— Je t'aime, Anna, je ne veux pas te perdre.

On était au moins d'accord sur ce point.

— Sam, comment on va faire… je veux dire… après ?

C'était la première fois qu'on prononçait ce mot : après. La première depuis le début des Jeux. Et les Jeux allaient finir. Il n'a pas répondu. Il a marché jusqu'à la baie vitrée. Il est resté longtemps à regarder dehors. J'ai scruté le ciel à mon tour, il avait une couleur que je n'avais jamais vue. On aurait dit de l'argile rouge. Quand Sam s'est retourné, j'ai vu l'étau dans ses yeux. Deux pinces d'étain poli, une dans chaque œil. Elles se sont refermées sur mon larynx et plus moyen d'avaler ma salive. J'avais la trachée sèche comme une brique. Sans parler de sa main, une plaque de gel.

— Il n'y aura pas d'après, il a dit. Il y aura toujours toi et moi. Exactement comme aujourd'hui.

Je songeai qu'il avait tort. Que l'amour a besoin d'air. Besoin d'être montré. Non, pas montré. Exhibé. Regardez qui j'aime. Regardez qui m'aime. Dévorez-nous des yeux. Mais j'étais d'accord avec lui sur un point. Pour nous, il n'y aurait pas d'après.

11

SAM

Ces derniers temps, Marco me tanne pour qu'on fasse une virée entre potes.

— Rien que nous deux, mec.

Il n'arrête pas de se plaindre d'Angela.

— Depuis qu'elle est enceinte, elle ne fiche plus le nez dehors. Sauf pour dévaliser les boutiques de mioches.

Tous les week-ends, elle le traîne dans les centres commerciaux pour choisir des meubles de *nursery*. Le lit à barreaux, la table à langer, la chaise haute, le mobile musical et tout le bordel.

— Tu verrais tous ces couples à la mords-moi-le-nœud avec leurs tronches de ravis de la crèche ! Ils sont là, à se pâmer sur les couffins, tu préfères la garniture à rayures ou à carreaux ? Ils tournicotent autour pendant des plombes. De vrais golios. Et Angela qui cherche à m'embourber avec ce qui coûte le plus cher, sous prétexte que ça resservira. Je te jure, mec, ça me file la gerbe.

— C'est des nausées de grossesse, vieux.

— Tu feras moins le malin quand ça t'arrivera ! il maugrée.

Pour l'instant, je croise les doigts. Betty a encore envie de faire la foire. Marco veut qu'on prétexte une soirée foot et qu'on fasse la tournée des boîtes. On commencerait par l'Étoile, sur la place du même nom.

— Il y a un patio en plein air, il plaide, profitons-en pendant que le temps le permet.

Profiter, pour Marco, c'est peloter le cul des filles en minijupe jusqu'à l'aube. Je ne suis pas trop emballé. Je vois déjà le tableau. Lui en train de faire du gringue à toutes les greluches et moi affalé à côté avec la musique plein pot. J'ai pas la tête à la gaudriole, je ne vais donc rien branler à part picoler, et, le lendemain, j'aurai un parpaing dans l'estomac.

— Sam, il me supplie, fais ça pour moi. J'ai une de ces dalles, en ce moment !

Il émet un gloussement pervers et passe sa main sous sa ceinture.

— Faut vraiment que je baise, mec. Le sexe, c'est le seul terrain de jeu qui nous reste en tant qu'adultes !

— T'as une femme, je réponds.

— J'arrive plus à la toucher, il gémit. C'est à cause de son bide. Ça me bloque.

Marco est une vraie pourriture de Rital. Macho, vantard et baratineur. À Atlanta, il a sauté toutes les nanas potables. Les maquilleuses, les coiffeuses, les hôtesses. Il n'arrêtait pas. Il a une préférence pour les grandes bringues. Ça ne le dérange pas qu'elles lui boivent la soupe sur la tête avec une paille. Il les préfère peroxydées et un poil vulgos. Mais il n'est pas allergique aux brunes coincées. Avec des potes, on l'a charrié à ce sujet.

— On n'arrive pas bien à définir ton genre de gonzesses, Marco.

— Mon genre, c'est celles qui ferment leur clapet et qui écartent les guibolles ! il a fait.

Le pire, c'est qu'il a un succès de malade. Physiquement, il ne casse pourtant pas des briques. Il est petit, râblé, il a des bouées autour de la taille et il commence à se dégarnir au niveau des tempes. Il a un opossum crevé au sommet du crâne, il suce des pastilles antimites et il empeste l'*after-shave* bon marché, mais il peut compter sur sa tchatche. Il a raison, ça marche. En reportage, c'est lui qui a le plus la cote avec les filles. Il en a toujours une collée à ses basques. Et, comme par hasard, c'est toujours la mieux roulée du lot.

Évidemment, il estime que c'est pas tromper Angela. Elle est italienne comme lui, napolitaine, par-dessus le marché, et elle n'a pas un caractère commode. Faut dire, elle connaît la nature de son lascar et elle ne lui accorde aucune confiance. Quand on est en déplacement, Angela le flique à mort. Elle l'appelle non-stop et elle le bombarde de fax furibards. Le distributeur de dépêches n'arrête pas de faire des allers-retours à son bureau, ça fait marrer toute la chaîne.

— Hé ! Marco, elle t'envoie aussi la liste des courses ?

Il ronchonne dans sa langue maternelle. Quelque chose du genre « Allez vous faire foutre, bande de nazes ». Il tâtonne sa poche dans laquelle il a fourré une médaille de la Madone. Ce toquard est superstitieux. Quand on lui parle d'Angela, il a toujours peur qu'elle déboule. Le savon qu'elle lui passerait en voyant qu'il ne porte jamais son alliance à l'étranger ! Il commence à la triturer au comptoir d'embarquement et il l'escamote dès qu'il a le cul dans l'avion. C'est son premier geste avant de boucler sa ceinture et de baratiner les hôtesses. C'est d'autant plus con qu'il est toujours bronzé, on voit la trace blanche sur son annulaire gauche. J'imagine la réaction d'Angela si elle se pointait à l'arrivée pour lui faire une surprise.

Chez eux, ça barde sec. Quand on est invités à dîner, Betty et moi, on enfile des gilets pare-balles. Ils s'engueulent de l'apéro au dessert. Chaque fois, on a droit à un festival de toutes les insultes fleuries italiennes. « *Smamma, polentone, cazzo, frocio, cafone, cornuto* ».

Avec Betty, notre préférée, c'est « *testa di cazzo* ».

Quand Angela traite Marco de « tête de bite », on est pliés. On trouve que ça lui correspond tout à fait. On s'est fait traduire : « *C'hai le pigne in testa.* »

« T'as des pommes de pin dans la tête. » Et : « *Te rompo la rotula e me faccio un mouse.* » « Je vais te casser la rotule pour m'en faire une souris. » Quand on rentre chez nous après une bagarre en règle, on les imite et on se pisse dessus.

À table, ces derniers temps, le sujet finit toujours par tomber sur Atlanta. Betty et Angela nous serinent avec la Géorgie, elles veulent qu'on y aille à Noël. Marco me lance des regards épouvantés. Il a écumé toute la ville avec ses poulettes, il ne tient pas à être reconnu avec sa légitime.

— Tu seras trop crevée après ton accouchement, *amore mio*, il dit.

— Justement. Ça me reposera.

— Et le bébé ?

— Il aura trois mois. On le laissera à ma mère.

— C'est vrai, dit Betty. Vous aurez besoin d'intimité. Et nous aussi ça nous ferait du bien, hein Sam ?

J'ai les extrémités glacées. Pas question de retourner avec elle sur les lieux de ma rencontre avec Anna. Je ne comprends pas les gars qui emmènent leur nouvelle nana où ils sont allés avec l'ancienne ! J'en connais un, Alex, un vrai barjot. Il est resté quinze piges avec sa femme. Pendant quinze piges, ils ont loué la même baraque à Pompano Beach, en Floride, ils y passaient tous les mois d'août avec leurs mômes. Il s'est remarié il y a quatre ans, et où il part en vacances avec sa nouvelle madame ? Dans le petit nid d'amour de sa première vie. Je lui en ai touché un mot. Je lui ai demandé si ça ne le dérangeait pas trop de s'envoyer en l'air dans le lit qu'il a partagé avec Sibylle. Et si ça n'emmerdait pas un peu Alice d'enfiler ses patins. Il a répondu qu'il ne lui avait pas demandé son avis. Il n'aime que ce bled-là, au bord de cette plage-là. Il paraît que la maison est top.

— Mais Alex, tu pourrais au moins en louer une autre !

— C'est la plus belle et la mieux placée du coin. Elle a toutes les commodités. Les mômes l'adorent. Et je connais tout le monde à Pompano Beach.

— Du monde qui doit aussi connaître Sibylle !

Alice doit se sentir à l'aise quand les bons moments du passé reviennent sur le tapis. Les barbecues dans le jardin, les parties de cartes ou de plongée, les noubas sur Ocean Drive, tout ça. Est-ce qu'Alice prend un air faussement ému quand les compères de quinze piges se gondolent ? Je l'ai croisée une fois ou deux, j'en doute. C'est une petite souris de luxe, habillée en Prada. Pas belle mais pas moche non plus. Le genre un peu lourde du bas, mais, avec une liquette longue, ça le fait. Pour l'instant, elle la boucle, elle a bataillé pour faire divorcer Alex. Au départ, il était pas chaud. Il aurait préféré la garder comme maîtresse et pantoufler avec sa légitime. Mais bon. Ça n'avait pas été possible. Combien de temps il va se passer avant que miss Prada pique une crise et qu'elle commence à pourrir Pompano et toute sa population ? Mystère. J'ai conseillé à Alex de chercher une destination sur la côte ouest. Il m'a rembarré.

— Occupe-toi de tes fesses, Ducon.

— Mais Alex, c'est malsain ! Ça t'évoque pas des souvenirs avec Sibylle ?

— Sibylle n'a rien à voir ! il beugle.

Moi, je pense qu'au contraire, ça a tout à voir. Il est comme un clébard sur ses traces. Il traîne sa truffe aux quatre coins du nid. Il est à la recherche des bonnes odeurs de Sibylle. C'est pour elle qu'il agite la queue. Et évidemment, c'est elle qu'il retrouve en rêve tous les étés. À moins d'être vraiment conne, Alice devrait avoir pigé qu'il n'a pas tiré un trait sur sa pomme.

— C'est bizarre, dit Betty, à vous entendre, Atlanta était à tomber par terre, et quand on vous parle d'y aller ensemble, vous bloquez.

— C'est parce qu'on préfère découvrir de nouveaux coins. Pas vrai, Marco ?

Il acquiesce et se lance dans une plaidoirie ridicule sur les avantages de l'aventure. Comme d'hab, il en fait trop. Je lui lance des appels de phare, calme, calme, mon pote. Mais c'est plus fort que lui, il en rajoute. Il énumère toutes les destinations mythiques qui lui reviennent avec une délicatesse de pelleteuse. Calcutta, San Francisco, Sydney, Cuba, Hong Kong.

Ta gueule Marco Polo, je songe. *T'es cramé.*

C'est d'autant moins crédible que, depuis qu'il est né, il passe toutes ses vacances d'été à Naples. Angela a des yeux d'olive, signe que ça va barder.

— Dis plutôt que t'as baisé toute la Géorgie et que t'as peur qu'on tombe sur tes pétasses ! elle aboie.

Elle le toise comme s'il était une saloperie collée sous ses godasses. Marco prend son air de victime à deux balles.

— Sam, dis-lui qu'Atlanta, c'est pas ce qu'elle imagine. C'était bien parce que c'étaient les jeux Olympiques. T'enlèves ça, c'est quoi ? Un champignon vénéneux entre deux champs de coton. Sans parler du cagnard ! Sam… il faisait combien dans cette putain de ville ? Cinquante, Cinquante-cinq degrés ?

Angela me darde un œil noir, comme si j'étais complice de toutes les dépravations dont elle soupçonne Marco. Sans déconner, elle ficherait les foies à Dracula. Je toussote pour m'éclaircir la voix.

— Le problème, je dis, c'était les moustiques.

C'est débile. Je n'en ai pas croisé un seul à Atlanta. Betty arrondit la bouche. Je fais des allergies aux piqûres d'insectes et j'ai pas touché au tube d'Apaisyl qu'elle avait fourré dans ma trousse.

— C'étaient pas des moustiques, renchérit Marco. C'étaient des hélicoptères. En plus on les voyait pas venir.

— Des hélicoptères invisibles ? éructe Angela.

— Pas invisibles invisibles ! Mais silencieux, *amore*. Des traîtres de première bourre ! Va piger pourquoi, ils mesuraient six mètres et ils étaient muets. Des baleines volantes, je te jure.

Qu'est-ce qui m'a pris de m'emmancher sur les moustiques ? Angela se met à hululer. On dirait qu'elle joue du xylophone. Betty est tendue. Dans les yeux de Marco, je lis distinctement « Mec, si tu me sors de ce merdier, je te fais un chèque avec un putain de paquet de zéros ».

Il est vraiment jeté.

— Tu t'es fait piquer, Sam ? demande Betty.

— Pas dans la piaule, ces cons détestent l'air conditionné.

— Et dehors ?

— J'étais jamais dehors.

C'est un demi-mensonge. J'ai passé vingt et un jours bouclé. Marco me ressert aussi sec un bourbon. Je suis preneur. À jeun, je ne me supporte plus. La picole a le mérite de me faire passer de l'autre côté. Dans un monde béni où j'échappe aux moustiques géants.

— T'as pas honte de mentir, Sam ?

La voix d'Angela exprime zéro émotion. Un vrai bulletin météo. C'est vrai que je couvre mon pote, mais j'ai pas le choix. Je ne suis pas blanc-bleu non plus, je ne tiens pas à ce qu'il me balance. Teigneux comme il est, il serait foutu de faire des allusions sur Barcelone, histoire de foutre la merde entre Betty et moi. Betty me pince les cuisses sous la table en se retenant de rire, elle me chuchote à l'oreille qu'heureusement je ne suis pas un queutard dans son genre et je fais le mort en attendant qu'Angela se calme. La discussion se termine par *Vaffanculo*.

Au boulot, il m'arrive de chercher à raisonner Marco. Je le traite d'obsédé.

— Tu ne penses qu'au cul, je lui dis. À ce stade, c'est maladif ! Tu nous ferais pas une petite Kennedyte ?

Sans blague, il est pire que JFK qui enquillait les putes sous le bureau ovale. Ce taré prend ça pour un compliment.

— C'est ce qui fait le charme des grands esprits, il répond en se hissant sur ses talonnettes.

— Franchement, Marco, tu déconnes.

— Les hommes ont des besoins, il fait.

Je lui fais remarquer que les nanas aussi, sinon, à Barcelone et à Atlanta, il aurait fait tintin.

— Ouais mais c'est pas pareil, mec. Nous, on est programmés pour le rut.

Ça me fait marrer.

— J'imagine ta tronche si Angela en faisait autant de son côté.

— Angela n'est pas une catin, il aboie en titillant son gri-gri.

— Je vois pas le rapport !

— De toute façon je suis peinard, elle est en cloque.

Ce sale moricaud ne mérite pas d'être père. Je lui dis qu'il est la honte du genre mâle, et qu'Angela devrait s'en chercher un plus convenable pour élever leur bébé.

— *Mio bambino !* il roucoule. Il va avoir des couilles de bouc, comme son géniteur.

Il écarte grand les bras comme s'il portait deux pastèques. Je lui dis qu'à ce stade de la grossesse, si c'est un garçon, il doit avoir un pénis de chihuahua et qu'il mériterait une fille, histoire de bien en baver quand elle commencera à reluquer les salopards de son espèce. Cette pensée le fout en rage. Il me jette un regard de psychotique et se met à me traiter de tous les noms. Il fait le barbeau, mais sa future paternité le botte un max. Il a pris huit kilos en six mois et il somatise à mort. Il prétend qu'il ressent des contractions au niveau de l'abdomen et qu'il a enflé des tétons. Je sais qu'il assiste à toutes les échographies d'Angela. Elle a raconté à Betty qu'il en faisait des tonnes auprès de la sage-femme. J'aimerais quand même voir le gabarit de la nénette, mais mettons que ça n'ait aucun rapport. Il paraît qu'il fait monter le son pour mieux entendre les pulsations cardiaques de son marmot et qu'il lui parle dans le cornet. Je le titille à ce sujet.

— Tu lui racontes ce que tu magouilles dans le dos de sa mère ?

— Et toi, tu sais ce que fait Betty, quand t'es en reportage ? il ricane. Les maquilleuses croisent pas mal de beaux gosses sur les plateaux, non ?

Le con bombe le torse pour montrer qu'il sait de quoi il parle.

— Je m'y connais en maquilleuses… tu peux me croire, c'est des chaudasses. J'en ai sauté une, elle avait une de ces fentes, vieux ! Tu vois la faille de San Andreas ?

Je suis à deux doigts de lui flanquer mon poing dans la gueule. Les Ritals ne sont pas réputés pour leur courage, il recule d'un bon mètre.

— Ça va, Sam, je disais ça pour te charrier !

N'empêche, il reste sur ses gardes. Il se met à m'asticoter sur mon prétendu sérieux à Atlanta.

— Toi, en revanche, là-bas, je te reconnaissais plus, il minaude. En un mois, tu t'es mis sur aucun coup.

Le mec perspicace.

— Tu passais ton temps bouclé dans ta piaule. T'avais pas le moral ou quoi ?

Je me demande s'il se paye ma tronche ou s'il a vraiment de la merde dans les yeux. C'est vrai qu'à Atlanta on n'avait pas fait de bamboula ensemble. Je l'avais embrouillé à propos du rythme infernal dû au décalage horaire avec Paris. Les émissions étaient en direct, pour être prêts en France pendant la journée, en Géorgie, il fallait bosser la nuit. On n'avait pas eu ce problème aux JO de Barcelone. Là oui, on s'en était payé une tranche ! Les Catalanes ne sont pas farouches et la vie nocturne espagnole était autrement plus déjantée. Je fricotais avec une Felicidad du tonnerre et Marco s'était dégotté une Maria Luz complètement hystéro.

— C'est pas une fille, il disait, c'est un piment *jalapeño*. Miss Harissa en personne. Quand elle me roule une pelle, je dois m'avaler une plaquette de xylocaïne.

Ça nous faisait tous marrer. Le décalage horaire d'Atlanta n'avait pas calmé les pulsions de Marco.

— Tu veux que je te dise, Sam ? T'es un cas tragique. Je blague pas. Un vrai curé.

— Amen, je réponds.

— Alors, tu marches dans la combine pour une sauterie à l'Étoile ? il pleurniche.

— *Vaffanculo*, Marco.

12

ANNA

Le quartier est abruti par le dimanche. Je regarde Lorenz. Il est penché sur son pupitre à dessin. Un moine sur les Écritures. Il y a comme une cloison de verre entre nous. Le genre à l'épreuve des balles.

— Ça n'a pas l'air d'aller, Anna.

— Je suis un peu déprimée ces derniers temps. Lassée par la routine du boulot.

— Quelle routine ? Tu voyages sans arrêt !

— C'est ma routine, Lorenz.

— Comment tu envisages d'y échapper ?

— Tu sais très bien ce que je voudrais.

On en a déjà parlé. Je voudrais qu'on mette les voiles pour de bon. À Munich ou ailleurs, tous les jours se ressemblent. Le temps nous dévore et j'ai de plus en plus souvent l'effrayante vision du *Saturne* de Goya. Le tableau macabre où le Dieu se repaît de la chair sanguinolente de l'un de ses enfants avec ses yeux hallucinés de fou.

— Franchement, Lorenz, tu pourrais envisager de tout recommencer autre part ?

— Autre part où et pour faire quoi, ma chérie ?

— On peut exercer nos boulots n'importe où.

— Il n'y a pas d'éditeurs allemands n'importe où.

— Mais tu pourrais peindre. Vendre tes toiles.

— Et si ça ne marchait pas ?

— On a déjà eu cette conversation. La vérité, c'est que tu as peur.

— Je ne prétends pas le contraire. Je n'ai pas ton esprit aventurier.

Il soulève mon menton, me force à le regarder dans les yeux.

— J'avoue que je prenais ton désir pour un fantasme. Je n'imaginais pas que tu y tenais à ce point.

C'est vrai qu'avant Atlanta je ne m'étais jamais montrée aussi résolue. J'exprimais des envies d'expatriations passagères, je feuilletais des guides touristiques ou des atlas, je pointais des endroits sur des cartes et ça me passait. La Géorgie a dû exciter mon désir d'exotisme. Peut-être pas pour les bonnes raisons.

— Je veux seulement changer de vie, Lorenz.

— Si c'est vraiment ton souhait, je te promets qu'on s'en ira. J'ai droit à un sourire, maintenant ?

Je me pends à son cou.

— Tu promets ?

Il pose sa main sur son cœur. « Oui, Anna. » Je suis de nouveau de bonne humeur.

— Tu sais quoi ? On pourrait ouvrir un petit restau sur la côte est des États-Unis. On servirait des brunchs… Je suis sûre que les Américains adorent les brunchs allemands… avec toutes les variétés de pains qu'on a, tu te rends compte ? Le *Weissbrot*, le *Schwarzbrot*, le *Vollkornbrot*, ils sont très branchés bio… On vendrait des vrais bretzels et des pancakes.

— Les pancakes, c'est leur spécialité !

J'ai déjà eu ce débat avec Sam. C'est une erreur. Ce sont les immigrés allemands qui les ont importés en Amérique. À l'origine, ça s'appelait des *Pfannkuchen*.

— On écrira *Pfannkuchen* sur le menu. Et on proposera des génoises, des bavarois et des strudels. On pourrait s'installer en Nouvelle-Angleterre, dans le Massachusetts. À Cap Cod, en face de l'île de Martha's Vineyard où les Kennedy avaient leur maison de vacances. Une région magnifique. C'est là que Spielberg a tourné *Les Dents de la mer*. Tu peindrais et tu vendrais tes tableaux aux touristes.

— Faudrait savoir, Anna ? Je peins ou je sers des brunchs !

— On fera les deux, Lorenz ! Moi, les brunchs et toi, les paysages et les requins. On sera heureux là-bas.

— On est déjà heureux, mon amour.

Je dis « Oui, c'est vrai, mais là-bas, en plus, on vivra au bord de la mer. On se fera des week-ends à New York, c'est tout près, et l'hiver, on partira à Québec ». Il sourit, mais il est ailleurs. Je le connais. Il a cette expression particulière qui le caractérise. Un mélange de distraction et d'aquoibonisme. Je plaque un baiser hâtif sur sa joue. J'ai rendez-vous avec Magda pour un goûter de filles. On a choisi un salon de thé qui sert des pâtisseries criminelles. On ne s'est pas vues depuis mon retour des Jeux, j'ai des trucs à mettre au point avec elle. C'est à propos de Lorenz. Des réflexions qu'elle a faites au téléphone quand j'étais à Atlanta. Elle avait été la première informée au sujet de Sam. Je l'avais appelée du *Westin* au lendemain de notre première nuit. La nouvelle l'avait sonnée, mais, contre toute attente, elle avait réagi avec enthousiasme.

— Je suis ravie pour toi, elle s'était exclamée. Tu mérites de vivre un grand amour.

Je lui avais fait remarquer que c'était déjà le cas avec Lorenz. Elle avait rectifié :

— Je précise, un grand amour avec un homme digne de ce nom.

Je n'en croyais pas mes oreilles.

— Mag, tu es en train d'insinuer quoi ?

Elle avait soupiré à l'autre bout de la ligne.

— Quelqu'un qui soit le contraire de ton mari, elle avait soufflé.

J'avais compris ce qu'elle me cachait depuis toujours, son antipathie viscérale pour Lorenz.

— Je n'ai jamais accroché avec lui, elle avait avoué. Excuse-moi d'être aussi directe, je l'ai pris en grippe dès le début.

J'étais restée sans voix. Qu'elle ait tu ses sentiments véritables à son égard pendant toutes ces années me paraissait dingue. On passait pas mal de temps ensemble, tous les deux semblaient s'apprécier.

— Je regrette, Anna, je faisais semblant.

En y réfléchissant, je me suis souvenue de petits détails. De chicanes insignifiantes. Des piques qu'ils se lançaient. Rien de bien méchant.

C'est vrai qu'ils tombaient rarement d'accord sur les sujets politiques, mais j'étais loin d'imaginer une hargne pareille de la part de ma meilleure amie. À Atlanta, j'ai préféré clore le sujet.

— T'as raison, ma chérie, elle avait conclu. Au prix où sont les communications avec le *Westin*, autant parler des choses essentielles. Comment est ton Français au lit ?

On avait raccroché deux heures après. Mon infidélité m'avait coûté bonbon !

Magda est d'humeur joyeuse et gourmande. Elle commande un bavarois, une forêt-noire et un assortiment de strudels. Du thé pour moi et, pour elle, un café liégeois. Avec beaucoup de crème, elle précise. Elle rentre d'Ibiza, elle a un joli hâle. Elle pleurniche sur ses taches de rousseur. Gémit que c'est l'inconvénient des vraies blondes.

— Toi, en revanche, tu es verdâtre ! elle s'exclame. Pour quelqu'un qui a passé un mois au soleil !

— Dis plutôt dans la fournaise ! C'est la raison pour laquelle je me suis planquée !

Elle s'inquiète à mon sujet. Souligne que j'ai des cernes et les pommettes creusées. Trop, à son gré. Elle me détaille de haut en bas.

— Tu devrais te remplumer un peu, elle décrète.

Je réponds que c'est vrai, ces derniers temps, je ne peux rien avaler. Je nage dans mes jeans, je suis passée à la taille 36. Elle y voit tout de suite un bon prétexte pour qu'on file faire du shopping.

— Anna, c'est le moment ou jamais ! elle jubile. En plus, ça tombe bien, c'est les soldes.

Je rechigne pour le principe. Elle va me bassiner jusqu'à ce que j'abdique. D'un autre côté, depuis Sam, j'ai des accès de féminité. Des envies de lingerie fine, et je m'imagine perchée sur des Louboutin. Ça la fait bicher.

— Rien de plus chic que les semelles rouges ! elle glousse.

Elle prend une petite voix coquine.

— Tu as des nouvelles de ton Français ?

— Ça t'ennuie si on commence par Lorenz ? je demande.

Elle sort son rouge à lèvres et prend une mine renfrognée.

— Anna, on va pas parler de ce rabat-joie ! elle gémit. Pas le jour de nos retrouvailles ! Des retrouvailles, ça se fête ! Tu veux une coupe de champagne ?

Elle lève déjà le bras pour rappeler le serveur. Je secoue la tête. Elle stoppe son geste et son sourire s'éclipse. Ses joues virent au rosé, ce qui est mauvais signe chez elle. Quand elles passent au rouge, c'est qu'elle est très en rogne. On y est. Elle ne lâche pas son miroir de poche, esquisse une moue de dégoût, chasse une bavure imaginaire sur ses pommettes.

— Si tu veux vraiment savoir, je ne peux pas supporter ton mari, elle m'assène sur un ton catégorique.

Elle referme le clapet d'un coup sec, j'attends qu'elle visse son tube rouge baiser et qu'elle range ses accessoires dans son sac. Elle prend son temps, exprès. Ébouriffe ses cheveux.

— Ma chérie, comment tu trouves mon dégradé ? Il n'y a pas mieux que la mer pour les mèches, tu ne trouves pas ?

J'acquiesce et je lui demande de la manière la plus calme possible ce qu'elle reproche à Lorenz. Sa voix grimpe aussitôt dans les aigus.

— Il est prétentieux et méprisant, elle dit. Il prend tout le monde de haut.

— Magda, tu te trompes... c'est de la timidité.

— Timidité mes fesses ! Il n'a aucun affect. C'est un manipulateur de première. Je côtoie des malades comme lui tous les jours. Crois-moi, je n'en guéris pas un. Y a rien à faire contre ce genre de pathologie.

Les bras m'en tombent. Je la regarde, c'est pourtant bien elle. Ma sœur. Mon amie. Le témoin de mon mariage. C'est bien de sa bouche que sort tout ce fiel.

— Tu veux que je te dresse l'inventaire de ses tares ? elle siffle.

Le serveur dépose les pâtisseries. Elle plonge sa cuiller dans un monticule de crème.

— Oui ou non, Anna ?

S'ensuit une logorrhée impitoyable de griefs hargneux.

— Il est trop tout, elle dit. Trop calme, trop réservé, trop poli, trop correct, trop toujours d'accord avec tout le monde. Il n'a jamais un mot plus haut que l'autre. Des comportements pareils, crois-moi, c'est suspect. Ça cache les pires perversités. En psychiatrie, ça correspond pile-poil au schéma des vrais tordus.

Je prends sa vindicte comme un coup de poing à l'estomac. Compare-t-elle vraiment Lorenz aux malades de son cabinet ?

— Tu veux que je te livre le fond de ma pensée ? elle enchaîne. Je suis sûre que c'est un maniaque. Le genre à aligner les serviettes de toilette sur les portants avec un niveau d'eau et à enrouler son tube de dentifrice avec une clé à sardines.

Elle fait le geste du tournicotage de la clé à sardines qui pince la languette en se tordant de rire.

— Ces machins-là, elle suffoque, je sais pas où il les achète ! Ça n'existe même plus dans le commerce.

Elle ne peut plus parler. Elle mime le système des boîtes modernes, avec leur couvercle à capsule. Je ne vois rien de drôle là-dedans. Elle respire un grand coup et redevient grave.

— Pardon, ma chérie. Avoue que ton mec est trop propre sur lui. C'est vrai, quoi. Niveau vestimentaire, il est toujours nickel, impeccablement repassé et, comme par hasard, toujours sapé en blanc, histoire de bien revendiquer sa différence. Pour ça, il est fortiche, on le distingue bien dans la masse. C'est Monsieur Admirez-ma-pureté. Toujours bien coiffé. Il prétend se sécher les cheveux à la portière de sa bagnole, tu parles, je parie qu'il se fait des brushings en douce !

Je reconnais mentalement qu'il emprunte mon séchoir. Il commence par renverser sa tête en avant et diriger l'air chaud sur sa nuque et il termine les côtés au rouleau. Ça ne m'a jamais paru bizarre.

— Les hommes soignés, ça existe ! je plaide. Je ne suis pas mariée avec un ours des bois.

Elle fait « oui », d'une petite voix perchée, lève son auriculaire et se met à singer les passants de la Gärtnerplatz. Le quartier homo de Munich.

— Magda ! Tu insinues quoi ? je gronde.

— Je plaisante, ma chérie. N'empêche, t'as vu ses ongles ? Il se fait des french ou quoi ? Et je parie qu'il se met de l'anticerne, il a toujours l'air maquillé.

C'est vrai que je l'ai déjà surpris la main dans mon poudrier. Mais c'est parce qu'il déteste avoir le nez qui brille. Je le rejoins sur le fait qu'un nez qui brille, ça ne fait pas net.

— Il a des manies de nénette, ma vieille ! continue Magda. Je ne dis pas qu'il est bi, mais à moins qu'il soit né sans poil, je le soupçonne de s'épiler les guibolles et les poils du nez. Tous les mecs ont des poils dans le nez ma vieille. Franchement, tu l'as jamais gaulé avec ta pince à épiler ?

Je réponds « Si. Et alors ? »

— Alors tu trouves ça viril ? elle braille.

— Je trouve surtout que c'est signe qu'il prend soin de son apparence. Les poils du nez, c'est pas glamour.

— Un mec n'a pas besoin d'être glamour, ma fille. Il n'a qu'à se faire des masques au concombre, pendant qu'il y est !

Je ne lui avoue pas que, le dimanche, il s'applique de l'argile sur le visage. Il déambule toute la matinée avec le visage entièrement vert, on ne voit émerger que ses yeux et sa bouche, je me tords de rire chaque fois. Je le traite de chochotte et il me court après en poussant des cris de monstre. Hulk en personne. OK, c'est un jeu débile entre nous mais, grâce à ça, il a une peau de bébé. Magda insiste, elle n'a jamais rencontré un homme plus aseptisé au monde.

— Il ne dégage strictement aucune odeur corporelle, elle dit.

— Encore heureux ! je m'exclame. Tu préfères les types qui sentent le bouc ?

— Arrête Anna, je parle de la bonne odeur de mec. Un millilitre de sueur, dix millilitres de vétiver. Le mélange sauvage idéal. T'as jamais l'impression de coucher avec Monsieur Propre en personne ? En vrai ?

Je réprime un éclat de rire. J'admets que Lorenz est un peu coincé à ce niveau-là. Il a la phobie de certaines odeurs. Il se bombarde de déodorant et il talque l'intérieur de ses chaussures. Il ne mange jamais d'oignon ni de chou cuit, un comble pour un Suisse allemand.

— Je parie qu'il tire la chasse en entrant dans les waters ! ricane Magda.

— Oui. Sauf que j'appelle ça de la pudeur. On n'est pas obligé de partager les aspects les moins glorieux de son intimité avec autrui. Un minimum de dignité ne fait de mal à personne.

— M'enfin, quand on vit à deux, ça ne sent pas toujours la rose ! elle s'esclaffe. L'humain reste l'humain. Le problème, avec ton mari, c'est que c'est ça qui le gêne : l'humain. Ça le gêne chez lui et chez les autres. Il se rêve en entité uniquement spirituelle. Il se croit au-dessus du lot. Monsieur Je-ne-pisse-ni-ne-pète-pas. Sauf qu'il est comme tout le monde. Il s'assied sur le trône et il émet des bruits barbares comme les copains.

Magda se gondole. C'est communicatif. Je lui accorde un point. Disons que, de ce côté-là, Lorenz est peut-être un chouïa trop émotif et qu'il ne raffole pas de la chair.

— À propos de chair, tu te rappelles la tronche qu'il tirait à Ibiza ? elle hoquette. Il n'osait pas regarder les gonzesses en monokini.

— Tant mieux ! je biche.

— Je parle de sa panique à la vue des gros seins ! Il a une dent contre ou quoi ?

Elle me rappelle le jour où sa copine Kristen a débarqué sur la plage. C'est une Bavaroise pur jus, qui fait un bon 100 D.

— Quand elle a enlevé le haut, j'ai cru que ton mec allait tomber dans les vapes, elle s'étouffe.

— Mais Mag, il y avait de quoi ! Elle avait les tétons sur les genoux !

— À ce point-là, c'est pas normal, Anna. Il a la phobie des lolos. C'est pas par hasard qu'il est avec toi !

— T'exagères, j'ai pas non plus des œufs au plat ! Je fais quand même du 90 B.

— C'est bien ce que je vois ! T'es dans la petite moyenne ! Et maintenant que t'as plus que la peau sur les os, il doit se régaler.

Elle bombe le torse. Elle est très fière de son 95 C. Ça me rappelle une allusion de Lorenz au sujet de son décolleté. Une petite vacherie qu'il avait lâchée à Ibiza. Il jugeait son tee-shirt étriqué et avait manifesté un vague dégoût. Après tout, Magda a peut-être raison. Il n'est pas fou des bustes volumineux. J'ai passé mentalement ses ex en revue. Elles étaient plutôt plates dans l'ensemble. En plein dans le mille, Mag.

— Quand même, je dis, quand on a le gabarit de Kristen, on ne déballe pas la marchandise en public.

Ça la met aussitôt en rage. Elle milite pour le MLF section écologique. L'été, elle fait les camps naturistes avec ses copains hollandais. De grands benêts pétardisés qui prônent le retour à l'âge des cavernes. Ils ont tous des relents d'aurochs et les filles ne s'épilent pas les dessous de bras. J'imagine Lorenz au milieu de la bande, il faudrait lui poser une perf. Je souris mais j'en ai gros sur l'estomac. Je suis à deux doigts de me mettre à pleurer. Magda s'en aperçoit.

— Excuse-moi, Anna, il fallait que ça sorte un jour ou l'autre.

— Tu es libre. Je t'accepte comme tu es. Franche et excessive. Mais tu es injuste avec Lorenz.

— Excessive, moi ? Tu rigoles ! Je suis réaliste. Ce mec ne te convient pas, point.

— C'est ton avis. Moi, je l'aime.

— Permets-moi d'en douter. Quand on aime, on ne trompe pas.

Je n'ai pas vu le coup venir. C'est un uppercut. J'ouvre la bouche comme un marlin sur le pont d'un chalutier. Pas moyen de reprendre ma respiration. Elle sait qu'elle y est allée un peu fort.

— C'est un argument dégueulasse, Magda.

— Ouais, j'avoue.

Elle prend une moue faussement désolée.

— Tu ne t'es jamais rendu compte qu'on n'avait aucun point commun, Lorenz et moi ? elle gémit.

Je réponds « non ». Enfin si. Mais c'était pas frappant frappant.

— Mais ma chérie, tu as quand même remarqué à quel point ton mari n'aime rien !

Je fais « non ». Enfin si. Je reconnais qu'il n'a pas vraiment d'appétit, à part pour les crudités. Il écoute peu de musique. Ne va jamais au théâtre. Mais c'est parce qu'il a horreur de la foule.

— Il a surtout horreur des gens qui t'approchent ! elle aboie.

— Il est très gentil avec mes amis.

— Très très gentil, ouais. À sa manière. Il est civil. En société, c'est Monsieur Parfait. À mon avis, il se force. Et on parle bien de TES amis. Tu connais beaucoup des siens ?

J'entreprends un calcul rapide. Je ne peux replier que deux doigts d'une seule main. Elle a raison, je songe, Lorenz compte peu d'amis. Et il n'a pas de copains. Il ne s'attarde jamais après le travail, il rentre à la maison direct. Ma façon de me mordiller les lèvres est éloquente.

— C'est bien ce que je disais, jubile Magda, ce type n'aime pas la vie. Un vrai bonnet de nuit.

— Sauf que moi, ça me plaît de vivre à huis clos. De pique-niquer au lit devant la télé.

— Faut croire que ça te convient pas tant que ça, elle fait.

Elle se tait enfin. Elle doit se demander si elle n'en a pas trop dit. Si elle n'est pas allée trop loin. Si notre amitié va résister au choc. J'ai l'impression d'avoir assisté à une plaidoirie de procureur. Sa charge a été rude. Je suis KO. Je n'ai pas touché à mon assiette. Elle fait des tentatives pour aborder des sujets futiles, mais je ne marche pas. Mon mutisme la glace. Je la connais, elle s'en veut. Sa façon de gigoter sur sa chaise ne trompe pas. Et je ne l'ai jamais vue bouder un strudel aux pommes.

— On va partir vivre aux États-Unis, je dis.

Elle écarquille les yeux, ouvre la bouche, aucun son ne sort. Je suis assez contente de mon effet.

— Anna ! elle articule. Tu te fous de moi !

— Non. On en parle.

— Et il est d'accord ?

— Oui.

Elle allume une Benson, sa main tremble. Aspire une grosse bouffée.

— Tu es sûre qu'il va le faire ?

Je songe que non, évidemment, je ne suis pas sûre.

— Oui. On a même choisi l'endroit. Cap Cod. C'est dans le Massachusetts.

— Je sais où c'est, elle dit, agacée. C'est pour te rapprocher de la Géorgie, je suppose.

Elle a pris un ton ironique.

— C'est idiot, Mag, la Géorgie est au sud. Nous, on s'installerait au nord. Sam vit à Paris. Ça ne nous rapprochera pas, au contraire.

Elle hoche la tête. Je lui expose mon plan. Ma petite affaire de brunch et les peintures de Lorenz. Au moins, elle n'a jamais remis son talent en question. Elle a toujours reconnu qu'il était doué de ce côté-là.

— Eh bien ma vieille, s'il passe vraiment à l'acte, je lui tirerai mon chapeau, elle dit.

— Fais-moi confiance !

Elle comprend immédiatement que l'idée ne vient pas de lui, mais elle ravale la vacherie qui lui brûle les lèvres.

— Tu vas donc rester avec lui, elle dit avec une pointe de regret.

— Je te rappelle que Sam et moi n'avons jamais envisagé de divorcer.

On n'ajoute rien. Il n'y a rien à ajouter. Il n'y a qu'à profiter de notre goûter de filles. Dans la vie, il y a des situations comme ça. On vit des événements exceptionnels dont on n'a ni à se plaindre ni à se réjouir. On prend des décisions sans savoir à quoi s'attendre. Est-ce que c'est bien ? Est-ce que ça ne l'est pas ? Est-ce qu'il vaudrait mieux ne pas les prendre du tout ? On n'a pas la réponse.

13

SAM

La veille de notre départ d'Atlanta, j'ai emprunté une bagnole de Canal, un break Plymouth, vert métallisé, avec des plaques américaines. J'avais un guide de la côte est, je l'ai épluché. Je suis tombé sur un nom : The Smoky Mountains. Les Montagnes qui fument. J'ai pris la route 104 en direction du sud, Anna et moi, c'était la première fois qu'on s'éloignait du *Westin*. Depuis le début des Jeux, on était restés confinés dans ce putain d'hôtel, on étouffait. Là, on roulait au grand air, on n'en revenait pas.

— Free at last, a dit Anna.

J'ai pensé à l'épitaphe sur la tombe de Martin Luther King.

« *Free at last, free at last, thank you God I'm free at last.* »

Ce jour-là, sur l'US 104, j'ai fait un rêve, ouais. Anna avait posé sa tête sur mon épaule et je tenais sa main. Comme la Plymouth était automatique, pendant cent bornes, je ne l'ai pas lâchée. Dieu a fait le soleil pour le placer au-dessus de la Géorgie. Toutes ces plaines en Kinopanorama, les collines mauves mouchetées de pins vert jade, c'était simplement pas croyable. En fond sonore, il n'y avait que de la country. On se serait cru dans un *road movie*, au scénario limite branque : l'épopée de deux zozos en route pour nulle part. Ils se rencontrent par hasard dans un

Denny's. Une blonde aux beaux nibards et un simple d'esprit. Un golio déboulant de sa cambrousse du Midwest, qui a la dalle et rêve de s'enfiler un quadruple hamburger aux oignons. Il pousse la porte du Denny's et elle est là. La bombe incarnée. Elle ne regarde personne, elle touille son café d'un air morne. Lui, il passe sa commande, il tombe sur elle et il n'en revient pas. Il pige tout de suite qu'elle a les boules, c'est pas le moment de lui parler. C'est clair, elle ne veut pas que quiconque la ramène. Sauf qu'à proximité il y a un fumier de Mexicano, un baltringue à la ramasse qui la mate sec et qui ne lui veut pas du bien. Le neuneu se lève et dit à ce toquard : « Hé ! man, laisse ma petite tranquille ou je vais défourailler. Dans une minute, ta cervelle de Moricaud va repeindre la ligne blanche. » Le caïd se fait dessus et se casse la queue entre les jambes. La blonde et le taré se sourient et repartent ensemble, fondus d'amour. Fin de la scène. Du cinéma.

En vérité, le simple fait d'être assis côte à côte dans une bagnole nous intimidait. En matière de sexe, on avait tout osé. Mais là, on y allait mollo. J'avais dévissé le rétroviseur de façon à voir son visage, plutôt que l'arrière de la route. Je la regardais sans arrêt, j'en revenais pas de l'avoir à moi. Elle était belle et nature, sans ornements. Pas de fard, ni de rouge à lèvres. Les cheveux défaits. Une décharge de fraîcheur dans la fournaise de l'habitacle. Qu'est-ce qu'elle avait de plus qu'une autre ? Franchement ? À peu près tout.

On se parlait du bout des lèvres, pour exprimer le minimum : « T'as chaud ? T'as soif ? »

Ça s'arrêtait là.

Avant de partir, j'avais potassé le Guide bleu des États-Unis, le volume consacré à l'Est et au Sud, et repéré un nom : Dahlonega. La consonance indienne m'avait botté. Le manuel précisait que c'était une petite ville à soixante-quatre miles d'Atlanta et qu'en 1828 on y avait découvert de l'or. La Géorgie avait été le site de la première ruée vers l'or. À l'époque, il y avait des mines à Dahlonega, d'ailleurs, son origine venait de la langue Cherokee, de « *dalonige* » qui signifie « argent jaune ». J'avais lu ça, et les noms de Chattahoochee et de Blue Ridge Mountains. Des mots qui chatouillaient mon imagination. Anna avait dit « Ok, on y va ». On ne savait pas sur quoi on allait tomber. Et on s'en foutait.

— Tu sais quoi ? elle a demandé.

J'ai dit « Quoi ? ».

— On ne va pas se voir avant longtemps. On devrait en profiter pour fêter des choses.

— Quelles choses ?

— Ton anniversaire et Noël.

Elle parlait sérieusement. Je me suis marré.

— Mon anniversaire, c'est pas compliqué. Tu n'auras qu'à me payer une bière. Mais Noël en août, ça va être une autre paire de manches.

— *Christmas in August*, elle a fait. Et pourquoi pas ?

— On n'a qu'à commencer par mon anniversaire, j'ai dit. Ça tombe bien, je suis né en août !

Elle a fait mine de réfléchir.

— J'ai une idée de cadeau !

— Quoi ?

— *Time in a Bottle* de Jim Croce.

— Tu m'as déjà offert le CD !

J'avais acheté un lecteur compact exprès. *Time in a Bottle*, c'était notre hymne d'amour, à Anna et moi.

— Mon cadeau, elle a dit, c'est *Time in a Bottle* maintenant, à la radio.

J'ai pensé *Ouais, c'est ça.*

— Tu comptes demander à Dieu qu'il programme le disque ? j'ai ricané.

Elle n'a pas relevé. Elle fixait la route.

— Sam, ça t'est déjà arrivé de douter ?

J'ai grogné « Ouais ». Dans des tas de circonstances et sur des tas de trucs. Mais des trucs qui n'avaient rien à voir avec l'impossible. Elle a répondu que c'était le moment ou jamais de changer ça.

— Et si Dieu ne marchait pas ? j'ai gloussé.

— Qui te dit que je vais m'adresser à Dieu ?

— Alors à qui ?

— Aux esprits des Smoky Mountains.

Je me suis gondolé. On roulait dans le désert. Le ciel était un ruban crémeux.

— Je prends le risque d'invoquer les esprits indiens.

— Anna, tu crois à ce point au hasard ?

— Le hasard n'existe pas, elle a fait.

J'ai pas voulu la contrarier. Je trouvais ça touchant, qu'elle croie à l'impossible. Elle était si jolie. Elle avait enfilé une petite robe crème, pour changer, et elle portait des boucles d'oreilles. Deux gouttes turquoise qui allaient bien avec la couleur de ses mirettes. Elle a monté le son de la radio, qui diffusait de la bouillie western et s'est penchée à la fenêtre.

— Je veux *Time in a Bottle* de Jim Croce, elle a crié.

Les Smoky Mountains commençaient à se profiler à l'horizon et, évidemment, rien ne s'est produit. Un cow-boy ringard a continué à entrechoquer entre elles des petites cuillers, si je ne m'étais pas retenu, j'aurais explosé de rire. Anna ne s'est pas démontée. Elle a trituré le sélecteur de la bande FM. Entre deux crachouillis, on a entendu le jumeau du cow-boy brailler une autre rengaine à la con. Il était question d'une pétasse qui pleurnichait dans un motel d'Alabama.

— *Baby don't cry*, un jour, t'auras ta chance, toi aussi.

Tu parles ! Et l'impossible s'est produit. Je sais, c'est pas croyable, mais je jure sur ce que j'ai de plus cher au monde que *Time in a Bottle*, en intégralité, y compris les notes d'intro, de Jim Croce, a retenti dans l'habitacle.

J'ai pilé, la Plymouth a fait un écart. Anna n'a pas bronché. Elle fixait le ciel, impassible, comme si de rien n'était. La foudre venait de s'abattre sur ma pomme, je suffoquais dans le brasier, et elle semblait à peine concernée.

Plus tard, elle a prétendu que c'est parce qu'elle n'avait jamais douté, pas une seconde. Elle était certaine que ça marcherait. *Time in a Bottle* à la radio, pile à ce moment-là. Ben voyons. Je suis sûr qu'elle bluffait. Elle non plus ne croyait pas ça possible, pour la bonne raison que ça ne l'était pas. *Time in a Bottle* avec l'intro était tout simplement la chose la plus impossible du monde. Alors quoi ?

Alors la chose la plus impossible du monde est arrivée ce jour-là, sur l'US 104. Voilà.

« *If words could make wishes come true.* »

J'ai pressé la main d'Anna. *Time in a Bottle* dure exactement deux minutes vingt-quatre. Ça a été les deux minutes vingt-quatre les plus intenses de ma vie. À la fin, j'ai explosé.

— Mais tu te rends compte ? j'ai braillé. MERDE, Anna ?

— Bon anniversaire, elle a répondu.

— Tu te fous de moi ? Avoue que c'est dingue.

— Pas si tu considères que c'est un hasard, Sam.

— Hasard mon cul ! Combien de probabilités il y avait que cette chanson passe à la radio ? Qui connaît Jim Croce ? Il a pondu deux disques et il s'est crashé en avion.

— Et combien de probabilités j'avais, moi, de tomber dans le mille ? La réponse est zéro, Sam. Zéro probabilité.

Elle m'a demandé de me calmer. Je ne m'étais même pas rendu compte que je gueulais.

— Je suis d'accord avec toi, elle a dit. À une réserve près. Je ne suis pas « tombée » sur la chanson. On nous l'a envoyée.

— On, qui ? j'ai aboyé.

— Je ne sais pas, c'est comme ça. C'est un cadeau de la vie.

J'ai allumé une Lucky.

— Tout ça, c'est des foutaises, j'ai maugréé. La vie ne fait pas de cadeaux.

Et c'est vrai. Si des hasards arrivent, je veux dire : des hasards de ce genre, du genre hallucinants à ce point, c'est qu'il y a autre chose. Autre chose que la vie, ouais. Je sais, c'est con de dire ça. C'est con, surréaliste, pas rationnel, tout ce que vous voulez. Mais il faut bien trouver une explication, oui ou merde ? D'autant que c'était pas terminé. Oh non ! Ça ne faisait même que commencer.

À cinq miles de Dahlonega, j'ai charrié Anna.

— T'as eu bon pour mon anniversaire, OK. Mais t'as une idée de comment on va fêter Noël en plein été dans un trou paumé de Géorgie ?

Elle a souri. J'ai pensé *OK, bien sûr, il suffit de demander à je-sais-pas-qui, là-haut, allons-y, demandons.* J'ai ouvert ma fenêtre en grand, un courant d'air brûlant s'est engouffré dans la Plymouth et je me suis époumoné.

— Hé ! machin chouette, c'est nous, on arrive pour le réveillon, tu peux faire chauffer la dinde.

Anna a froncé les sourcils.

— Tu ne devrais pas plaisanter avec ça.

— À qui tu crois que je parle ? À part aux esprits indiens des montagnes qui fument.

— N'empêche Sam, tu ne devrais pas.

On est arrivés à Dahlonega un peu avant midi et la première chose qu'on a vue, c'est un sapin de Noël. Attention, j'ai pas dit un sapin tout court, franchement, un sapin dans une forêt, ça aurait été un peu trop fastoche, j'ai bien précisé DE NOËL. Garni de haut en bas. Et au bout des branches pendaient des boules, plein de boules rouges, bleues, dorées, et des figurines, pas n'importe lesquelles : des rennes, des étoiles, des traîneaux, des angelots, des bonshommes de neige, bref, rien que des trucs de Noël. Et il y avait aussi des guirlandes, oui, oui, les fameuses, scintillantes et frangées, moches et pailletées.

— Pince-moi, j'ai dit à Anna.

Elle a eu l'air ébranlée.

— Là, c'est fort ! elle a reconnu.

Autour, les maisons étaient ornées de feuilles de houx. Elles étaient rose, vert et bleu pastel, on se serait cru sur Main Street, l'avenue principale de Disneyland. J'ai garé la Plymouth dans un état second. Les haut-parleurs diffusaient plein pot des cantiques de Noël, je ne les connais pas dans le détail, surtout en anglais, mais quels que soient le lieu ou la saison, on reconnaît *Vive le vent.* Et quand on entend ça, cette musique-là, on est le 24 décembre. Ouais, même par cinquante degrés. Par-dessus le marché, il tombait de la neige. On est entrés dans une boutique et Anna a harcelé le propriétaire, un vieux bougre à stetson qui briquait mollement ses santiags. Il a levé le nez et maugréé que Noël était la spécialité de Dahlonega, les gens venaient de toute la Géorgie, et même de plus loin, de la Caroline du Sud et de l'Alabama, pour leur shopping de fin d'année. Il nous a demandé si on était des étrangers venus pour les Jeux, on a dit « Oui, on repart demain ». Il a encore voulu savoir d'où on était, de quel pays. J'ai dit « *I am French* ». Il a lâché ses bottes et souri.

— Je ne connais pas la France. Mais mon père est mort en Normandie. Buté par ces fumiers d'Allemands.

Anna m'a fait signe que c'était pas le moment d'entamer un débat. Il a déballé tout ce qu'il était possible de suspendre à des branches de sapin. Anna a rempli un panier entier, et moi, j'ai raflé une guirlande électrique, des minibouteilles de Coca-Cola, Betty est dingue du merchandising de la marque. Elle m'avait fait toute une liste de conneries à lui rapporter. Elle voulait des magnets, des verres, des assiettes, des salières, des porte-serviettes et même des enseignes émaillées. J'allais devoir acheter une valise supplémentaire.

Le village était minus, avec Anna, on en a vite fait le tour, on a donc décidé d'aller « réveillonner ». On a cherché un restau en plein air, manque de bol, il n'y en avait pas. Le seul boui-boui en terrasse était un *fast-food*. Va pour un réveillon au *fast-food*, j'ai dit. On a passé la commande, un hamburger, un hot dog, Anna a réclamé deux demis.

— On ne sert pas d'alcool le dimanche ! a objecté la serveuse, une rouquine demeurée sortie tout droit d'une pièce de Tennessee Williams.

— Comment ça, pas d'alcool le dimanche ? a rugi Anna.

La fille a secoué la tête.

— Je regrette, c'est la loi dans l'État de Géorgie.

— Non mais quels tarés, ces Américains ! Il fait cinquante degrés et on nous empêche de boire.

Elle était furax, j'ai essayé de la calmer, elle ne voulait rien entendre. Elle a essayé de convaincre la grognasse que la loi ne s'appliquait pas aux Européens. Sans succès.

— Et si j'enjambe le comptoir et que je me sers moi-même ? l'a menacée Anna.

— J'appelle la police, a sifflé la rouquemoute.

— Pourquoi pas le FBI ? a braillé Anna.

Je ne l'avais jamais vue dans cet état. Convaincu qu'un scandale en pleine brousse ne tournerait pas à notre avantage, je l'ai suppliée de lâcher l'affaire et de prendre un Coca.

— Tu ne crois pas que je vais avaler cette saloperie ! elle a dit.

J'ai pensé à la tête de Betty si elle avait entendu ça. Finalement, Anna a abdiqué et on a emporté nos plateaux dehors. Au soleil, ouais, par cinquante degrés. C'était infect, on n'y a pas touché, n'empêche, c'était dingue d'être là. On était des mômes à Noël. Les haut-parleurs crachouillaient toujours des sucreries chrétiennes. Là, c'était *Douce Nuit*. Anna fredonnait « *oh holly night* ». J'ai encore enrichi mon vocabulaire. Je l'ai prise dans mes bras et on est restés un bon moment à se bécoter sur la terrasse. La rouquine avait rameuté ses copines et elles allongeaient le cou, de l'autre côté du comptoir. On aurait cru des setters irlandais avec du rouge à lèvres. Elles n'en revenaient pas. Une passion pareille, elles n'avaient dû voir ça qu'au cinéma.

— Tu sais ce qu'elles pensent, a dit Anna, elles pensent : voilà ce qu'est un grand amour…

Elle a laissé sa phrase en suspens et je l'ai serrée dans mes bras comme un cinglé. J'aurais voulu lui dire que oui, elles avaient raison, nous deux, c'était un grand amour, mais c'était pas la peine, elle le savait déjà. Et je m'en foutais, qu'elles aient raison ou pas. J'observais, par-dessus son épaule, le lent ballet de Dahlonega, les couples qui marchaient au ralenti, détendus et sereins, pour eux, c'était un dimanche ordinaire. À ce moment-là, j'aurais échangé sans hésiter mon destin contre le leur. Anna et moi, on serait devenus des citoyens perpétuels de Noël. On aurait habité une baraque à lattes roses et, le matin, j'aurais conduit nos mômes à l'école. On aurait fêté le 4 Juillet ensemble. Et pas que le 4 Juillet. Labor Day, Memorial Day, Colombus Day,

President's Day, Thanksgiving, la finale du Super Ball et tout le toutim. On aurait arrosé toutes les bamboulas américaines. Et on se serait déguisés à Halloween. J'aurais été Dracula et Anna, ma sorcière bien-aimée.

— À quoi tu penses, Sam ?

— À toi.

— C'est moi qui te rends triste à ce point ?

— Je ne suis pas triste, *darling.* Je m'apprête à siroter tout ton sang.

J'ai retroussé mes babines et je lui ai avoué pour Dracula. Elle a dit qu'elle préférait Frankenstein, parce qu'il avait une fiancée. Et qu'ils s'aimaient pour l'éternité.

— Quand on sera morts, au moins, on sera peinards, elle a ajouté.

— Tu dis ça parce que c'est notre dernier jour ?

— C'est pas notre dernier jour.

— Bien sûr que si, ça l'est.

Elle paraissait sur le point de pleurer.

— Il ne tient qu'à nous que ça ne le soit pas, j'ai dit.

— Et comment tu comptes t'y prendre pour qu'il y en ait d'autres ?

Je n'en avais aucune idée.

— L'essentiel, c'est de ne jamais oublier cette journée. Sam, tu promets ?

Oh, Anna, Anna, j'ai songé, *comment le pourrais-je ? C'est la plus belle journée de ma vie.*

On a rejoint le flot des promeneurs. Longé une dernière fois la rue principale. Un peu avant d'arriver à la Plymouth, Anna s'est accroupie sur le trottoir. Un papillon géant, échoué sur le dos, battait en vain des ailes. Il était magnifique. Jaune vif, avec des antennes rouges. Anna l'a retourné, remis sur ses pattes, et elle a soufflé dessus.

— Allez mon vieux, fais un effort…

Le papillon a vibré et il est retombé à plat sur le dos. J'ai suggéré à Anna de le déposer sur une haie en hauteur.

— Pas la peine, a dit un type. Il est en train de mourir.

Il avait l'air de s'y connaître en papillons.

— Des spécimens de cette espèce, il en dégringole tous les jours par dizaines, il a dit.

Anna a demandé pourquoi. Le gars a ri.

— Vies de papillons, *darling*... Deux jours pour épater le monde... et basta...

J'ai pensé qu'il n'y avait pas que les papillons dans ce cas. N'empêche, Anna s'est obstinée. Elle a cueilli l'insecte dans sa main et l'a posé au bout d'une branche. Il a aussitôt basculé. Une fois dans l'herbe, il n'a plus remué. On l'a laissé là et on a marché jusqu'à la bagnole. Vie de papillon, *my love.* On n'y peut rien. C'est comme ça.

Quitter Dahlonega a été un enfer. On sentait que quelque chose était en train de finir et on devinait trop bien quoi. Le trajet retour s'annonçait maussade.

Sur la route, on n'a pas parlé, ce qui nous a épargné de faire allusion au lendemain. Anna s'est contentée de fixer le capot de la Plymouth qui sniffait rageusement la ligne blanche. La nuit est tombée vite. Le ciel a flambé d'un coup, un vrai feu d'artifice. J'ai regardé ma montre : 7 heures du soir. J'étais en nage et, en même temps, glacé à l'intérieur. Je me suis rapproché d'Anna, le plus près possible. Elle n'a pas bronché. Elle avait l'air de quelqu'un qui va sauter d'une falaise.

Je ne sais pas à quoi elle pensait. Enfin si, je savais. Je pensais la même chose. Je voulais lui dire « T'en fais pas, ça va aller », mais je ne pouvais pas. Ça n'était pas la peine. Ça n'allait pas aller du tout. Je me sentais bon à rien. Fini. Un trou noir dans le cosmos. J'ai essayé de me changer les idées en relevant les marques des tacots, des pick-up pour la plupart, de vrais chars à bœufs tous immatriculés en Géorgie ou en Alabama. Vu l'allure à laquelle ils roulaient, on se doutait qu'il leur manquait la cinquième. Devant nous, les palmiers empalaient les étoiles, du coup, je me suis remis à bander. J'ai songé à me garer sur le bas-côté et à attirer Anna au-dehors.

Allonge-toi, ma chérie. Regarde la Grande Ourse. Non, pas là, là. Baisse un peu les mirettes. Et touche. Touche la Grande Ourse.

Rien qu'à cette idée, j'avais les reins humides. C'est comme ça. J'aurais pu balancer les grandes orgues sur cette putain d'US 104. Sauf que, pile à ce moment-là, j'ai entendu un glas. Il n'y avait pas un patelin alentour, pas une baraque, rien. Je me suis mis pleins phares, pour vérifier. Des deux côtés du *freeway*, le faisceau butait contre un rideau de flamboyants. D'où venait ce glas, mystère. J'ai pensé à John Donne, le Bossuet anglais d'il y a des siècles, qui a inspiré à Hemingway le titre génial de son bouquin sur la guerre d'Espagne. John Donne avait écrit :

« Nul homme n'est une île en soi. Nous faisons tous partie d'un continent et chaque fois que tu entends sonner le glas, ne demande pas pour qui sonne le glas. Il sonne pour toi. »

Autant dire que ça m'a refroidi.

J'ai éprouvé un putain de soulagement à la vue des tours d'Atlanta. Celle du *Westin* se dégageait nettement du lot, j'ai détourné les yeux pour ne pas la voir grossir à mesure qu'on se rapprochait du centre-ville. J'évitais au maximum de croiser le regard ravagé d'Anna. Elle aurait détesté ça, que je la voie dans cet état. « *No pain, no complain.* » On avait chacun un engagement pour la dernière soirée. Anna était attendue à la RDA et, de mon côté, je devais aller à la fête de Canal. Sans nous l'avouer, on préférait cette perspective à un dîner d'adieu en tête à tête. Après une journée comme celle-là, on avait besoin de décompresser.

J'ai déposé Anna à l'hôtel et j'ai filé rendre la bagnole. En arrivant au parking, j'avais l'esprit vide. Toute émotion m'avait déserté. Je ne savais plus où j'en étais. J'étais vanné et je me suis dit qu'il était temps que ça se termine.

Oui, c'était foutrement bien d'être à la veille du départ, j'avais hâte de rentrer à Paris. Si ça n'avait tenu qu'à moi, j'aurais filé direct à l'aéroport.

14

ANNA

En réclamant *Time in a Bottle* aux hypothétiques esprits des Smoky Mountains, je n'ai pas imaginé une seconde être exaucée. J'ai trituré la roulette mécanique des ondes et quand l'intro acoustique a retenti dans l'habitacle, j'ai ôté mon doigt comme si j'avais touché un manche de poêle en fonte bouillant. Sam a pilé et je n'ai rien manifesté. J'ai même exagéré un peu ma pseudo-impassibilité en faisant semblant d'inspecter mes ongles. Sam était statufié, il soufflait par à-coups, comme une locomotive à vapeur. Il a dégagé d'une main une Lucky Strike de son paquet et enfoncé l'allume-cigare d'un geste brusque. Il buvait les paroles de la chanson.

If I could save time in a bottle
The first thing that I'd like to do
Is to save every day
Till eternity passes away
Just to spend them with you.

On n'a pas échangé un mot. Sam était tendu. Il fumait demi-clope sur demi-clope et expédiait ses mégots au-dehors d'une chiquenaude. Quand il me serrait le bras, je sentais ses muscles se contracter et ses doigts tremblaient. Son parfum avait des relents aigres comme s'il avait tourné à la chaleur, sa respiration avait changé. Il inspirait comme s'il manquait d'air, avec un halètement précipité d'asthmatique. Il utilisait des gestes en guise de langage, des signes saccadés de sourd-muet dont je ne comprenais pas le quart. Le plus éprouvant, c'était son regard. Les lagons clairs avaient viré au brun des agates brutes, pas les pierres polies, les gemmes ternes et troubles qu'on vient d'extraire de la roche. La couleur exacte des Caraïbes après un ouragan, quand les vagues charrient de la boue et des débris. On ne voit plus les fonds étincelants. Tout ce qui reste, c'est un magma dense et vaseux, aussi glauque et hostile qu'un marécage. Les yeux de Sam m'ont rappelé les Everglades autour de Miami. Ils abritaient des colonies de crocodiles. J'ai senti un petit effondrement en moi et l'angoisse m'a secouée comme une quinte de toux.

Quand on a garé la Plymouth sur le parking de Dahlonega, il neigeait. On a mis cinq bonnes minutes à repérer les canons qui soufflaient de faux flocons dans l'air.

— Joyeux Noël en août, j'ai dit.

— Qu'est-ce que c'est que ce cirque ? il a grogné.

Il avait une expression lugubre, un vrai rabat-joie. Ça m'a refroidie. Je me suis demandé qui il était vraiment. Au *mall* de Lennox, il avait dévalisé le rayon « *True Crime* » de Books-A-Million. La collection consacrée aux tueurs psychopathes. Si ça se trouve, j'ai pensé, ce type est un maniaco-dépressif, infoutu de jouir des bons côtés de la vie. Noël en août relevait de la magie de l'existence, oui ou non ? Quoi qu'il en soit, ça ne méritait pas une réaction aussi sinistre.

— Tu ne pourrais pas te laisser aller, pour une fois ? j'ai soupiré.

— C'est trop, Anna. Le père Noël, les illuminations, la neige…

— Mais c'est drôle, Sam. Où est passé ton sens de l'humour ?
— Moi, ça ne me fait pas marrer. Ça me fiche les foies.

Je l'ai traité de trouillard. J'ai ajouté que je ne savais pas que je m'étais toquée d'un boulet cafardeux. Il m'a tordu le bras. « Retire ça tout de suite. » J'ai secoué la tête. « Jamais. » Il a augmenté la pression. J'avais mal mais j'ai tenu bon. J'en ai même rajouté une couche.
— Tu es la pire calamité qui me soit arrivée.
— Eh bien, toi non, il a fait. Au contraire. Tu es un cadeau du ciel. Et je t'aime.
— Alors lâche-moi, Sam.
— Seulement si tu m'embrasses.
Son regard était redevenu espiègle, j'ai cédé.
On a parcouru les rues bordées de maisons mauves au fronton desquelles flottaient des bannières étoilées, des papillons éblouissants jaillissaient des jardinières. On a acheté nos décorations de Noël, il a choisi des rennes, des lutins en bois peints à la main et une guirlande lumineuse de Coca. De mon côté, j'ai raflé une chaussette en laine rose, garnie de sucres d'orge et surmontée du drapeau américain. Je me projetais à Zermatt, dans cinq mois, au pied du sapin coupé par Lorenz. Ça me ferait quel effet d'y suspendre tout ça ? J'ai aussitôt remisé cette pensée et la honte qui allait avec. C'était ma dernière journée avec Sam, le lendemain, on allait se quitter, j'ai conclu que c'était le seul véritable scandale de l'affaire.
Sam, j'ai songé, *est-ce qu'on va pouvoir faire semblant d'être heureux jusqu'à ce soir ?* Comment on va réussir à donner le change au fil des heures, nos dernières ensemble ?
J'ai fait de mon mieux jusqu'au papillon agonisant.
Pour moi, c'était clairement un signe. Les esprits des Smoky Mountains l'avaient envoyé mourir à mes pieds pour me signifier que tout a une fin.

Le voyage retour m'a paru interminable. La route 104 était un serpent venimeux. On voyait clignoter ses petits yeux jaunes et durs de part et d'autre de la chaussée. Sam a dit que c'étaient des vers luisants.

— L'allumage est un signal de rut, il a précisé. C'est pour attirer les femelles. Quand elles sont partantes, elles répondent sur le même mode.

La nuit s'est mouchetée d'une multitude de points fluorescents.

— Tu te rends compte de la partie de pattes en l'air qui les attend ?

Je l'ai regardé, il avait les pupilles humides et il a glissé sa main sous ma jupe. Ça ne m'a pas émoustillée. D'autant que, dans la foulée, j'ai entendu un son effrayant comme un murmure montant d'une tombe. Sam a dit qu'il s'agissait d'un glas. J'avais la gorge plus sèche qu'une mine de sel. Je me suis dit *Nous y voilà. Ma fille, bienvenue en enfer !*

Il m'a déposée devant le *Westin* et il a filé rendre la Plymouth. Ma chambre sentait le Lysol et m'a paru plus glaciale que jamais. J'ai allumé CNN qui diffusait la cérémonie de clôture des Jeux. Les délégations défilaient à l'écran, le speaker en faisait des tonnes sur la récolte de médailles américaines. Pas un mot sur les performances des athlètes étrangers. J'ai appelé le *room service*, commandé un wagon d'Advil et commencé à vider la penderie. Les cintres dépouillés oscillaient comme des balançoires désertes, c'était triste à pleurer. D'ailleurs, j'ai pleuré. Des sanglots convulsifs d'enfant perdue dans la nuit. Les larmes roulaient sur mes joues à gros bouillons. Le téléphone a sonné, je n'ai pas décroché. J'ai continué à empiler mes affaires dans ma valise. Mes tee-shirts Calvin Klein, les livres de Sam, mon casque, mon butin de Buckhead, Lauren Bacall et Humphrey Bogart. J'ai songé que j'étais dans la tour de l'angoisse.

Derrière la baie vitrée, la Géorgie flambait au rythme d'un gigantesque feu d'artifice. Je me suis assise au bureau et j'ai écrit un mot à Sam au dos d'une carte. Je lui donnerais demain avant le départ. Quand le ciel s'est éteint, je me suis allongée sur le lit et j'ai attendu, anéantie, le retour de mon amour.

15

SAM

Demain, 5 septembre, ça fera pile un mois que je suis rentré d'Atlanta, j'ai pris l'avion le 5 août, un vrai cauchemar. L'aéroport était bondé, aux comptoirs de la Northwest, c'était la foire d'empoigne. Ces connards d'Américains n'avaient ouvert que trois guichets sur douze et tous les vols partaient de là. J'ai poireauté trois plombes pour enregistrer mes bagages. Pendant ce temps, Anna somnolait dans le salon de la Lufthansa, évidemment, pour les Allemands, il n'y avait eu aucun binz pour embarquer.

La veille, je ne m'étais pas attardé au raout de Canal. Il y avait pourtant du beau linge, tous les athlètes français sans compter Yannick Noah et ce vieux dingo de Ray Charles. Une semaine plus tôt, il était passé en direct dans l'émission de Charles Biétry. Biétry avait fait livrer un Steinway sur le plateau et, après l'interview, le pape du blues avait chanté *Georgia*. Tout le monde retenait son souffle, ça avait même flanqué des frissons aux distributeurs de Coca. Moins romantique, la propension du vieux lion à pisser. Il s'enfilait tellement de champagne qu'on avait dû placer exprès un seau sous le piano. Il se soulageait d'une main entre deux accords, secouait son engin vite fait et retombait pile-poil sur les bonnes touches. Ce qui pour un aveugle constitue quand même une sacrée performance.

I'm in Georgia, Georgia, sweet Georgia
No peace, no peace I find
Just this old, sweet song
Keeps Georgia forever on my mind.

Il chantait avec une telle âme que toute la RDA avait rappliqué du studio d'en face. Anna en tête. On a fait semblant de ne pas se connaître, elle et moi. Quand Ray Charles a demandé à la cantonade ce qu'on voulait d'autre, elle a répondu : « *Unchain my heart* » en me fixant droit dans les yeux. J'ai inspecté mes pompes et trituré mes poches. Anna s'est rapprochée du piano, tous les mecs l'ont reluquée. Marco l'a collée *illico*, ce qui m'a foutu en rage.

Unchain my heart, baby let me be
Unchain my heart 'cause you don't care about me.

Anna a fredonné les paroles « *you don't care about me* » en me lançant un regard provoc. Mes yeux lui braillaient *C'est pas vrai, Anna,* I care about you… *mais déconne pas… écarte-toi de cet obsédé.* Je connais les combines de prédateur de mon pote. Il avait clairement repéré une proie.

You've got me sewed up like a pillow case
but you let my love go to waste so
Unchain my heart, oh please, please set me free.

À la fin, Anna a applaudi comme une malade et a dit : « *Thank you very much, Mister Ray.* »

Il a répondu : « *You are welcome, baby* » et il a recommencé à tripoter sa braguette. Quelqu'un a fait remarquer que, vu le clapotis, il devait être en train de pisser des bulles. Coup de bol, la nénette de Marco, une coiffeuse du staff, avait senti le danger. Elle l'a tiré par la manche et ce pourri a lâché l'affaire.

À la fête de Canal, j'ai échangé trois mots avec Noah sur la gniaque de Marie-José Pérec. Comment elle avait torché ses concurrentes ! Deux médailles d'or au 100 et au 200 mètres, fallait les décrocher.

J'étais rentré tôt de la sauterie. J'étais néanmoins resté assez longtemps pour réaliser que je n'étais pas le seul fumier à avoir trompé sa femme pendant les JO. La plupart de mes confrères roulaient des pelles à la plupart de mes consœurs. Marco pelotait sa coiffeuse, mais on ne s'était pas adressé la parole. Depuis ma virée au *mall* de Lennox, il me faisait la gueule, sous prétexte que j'avais oublié de lui rapporter la fausse Cartier qu'il m'avait commandée.

— Arrête ton cirque, j'avais gémi. T'as déjà toutes les contrefaçons du monde.

À Paris, il a des caisses de fausses Rolex et autant de Breitling, Jagger et autre Dolce Gabbana. Il se trimbale toujours avec sa quincaillerie. Il a un faible pour les gros bracelets imitation or. Comme c'est des matériaux chinetoques, les fermoirs lui pètent dans les doigts, après, il n'arrête pas de brailler. « *Vaffanculo* Hong Kong. » Évidemment, aucun bijoutier n'accepte de réparer ses bazars. En plus, ça lui crée des problèmes avec Angela. C'est à cause des anneaux merdiques de sa fausse Chanel qu'elle avait démasqué Marco. Il la lui avait offerte pour son anniversaire dans une vraie boîte en faisant tout un cinéma. « *Amore mio,* prunelle de mes yeux, rien n'est trop cher pour toi. »

En réalité, il avait juste acheté la boîte aux puces. Comment elle lui avait balancé la Chanel Ming à la tronche.

N'empêche, le dernier soir, il m'a complètement zappé. Ça m'arrangeait. Ça m'a donné une bonne occase pour filer.

La dernière nuit, avec Anna, on n'a pas fermé l'œil. On est restés accrochés l'un à l'autre, comme si on avait chaviré en plein océan Arctique. À un moment, elle a pleuré.

À cause de sa fameuse devise, « *no pain, no complain* », je ne l'ai pas asticotée. Je me suis contenté de la serrer plus fort, en évitant le contact de ses joues.

Je sondais ses reliefs, j'aurais voulu avoir un œil macroscopique pour la voir d'encore plus près. Je voulais me souvenir d'elle en détail. Je voulais emporter chaque fragment d'elle, grossi mille fois. Je voulais photographier les particules de sa peau, cellule par cellule. Puis reculer. Reculer encore et encore. Et, en reculant, embrasser l'infiniment grand autour d'elle. La chambre du *Westin*, la Géorgie, l'Amérique, la Terre. Toutes les planètes du système solaire et tous les autres systèmes. Toutes les galaxies. Me repaître du spectacle de l'Univers qui n'existait que par elle.

— Sam, elle a dit, est-ce que tu te souviendras ?

J'ai broyé ses épaules à lui faire mal.

Si je me souviendrais ? Comment on pourrait oublier Noël en août ? On a baisé, mais plus calmement que d'ordinaire. Et elle n'a pas joui.

Le lendemain, on a pris un taxi pour l'aéroport.

Le chauffeur, un Black hyper costaud, était hilare.

— Vous devez être vachement contents de rentrer chez vous, hein ? Après tout ce temps… ça va vous faire du bien de vous retrouver au bercail.

Anna et moi, on n'a pas répondu. Il a pris le *freeway* en direction de l'aéroport d'Hartsfield et on ne l'a plus écouté. On regardait les tours d'Atlanta rapetisser dans le rétroviseur. Le *Westin* qui diminuait, jusqu'à devenir un point d'exclamation sur l'horizon. Deux miles plus loin, il n'y avait plus rien. Plus un *ersatz* de building. On ne voyait que des champs de coton qui se déroulaient à l'infini. La campagne était rase. Comme si un chirurgien avait cramé une tumeur au laser. Cette métropole avait émergé de la brousse. On en était à peine sortis qu'on se retrouvait de nouveau en pleine pampa, sans un bled alentour. Il n'y avait pas de maisons.

Rien que des motels et des Denny's en enfilade. On a fini par apercevoir les ailerons de la Delta Airlines.

— Ça vous fera quarante dollars, a dit le chauffeur.

Je lui ai tendu mes derniers billets verts roulés en boule et il a beuglé « *See you* ».

Et ta sœur, j'ai pensé.

Dans le hall des départs, j'étais nerveux. Il n'y avait pas un endroit où s'asseoir, tous les sièges étaient occupés. Après l'enregistrement, Anna et moi, on s'est retrouvés dans un bar minable. Les copains nous reluquaient en douce, ils se demandaient qui elle était et pourquoi j'avais l'air bizarre. Le bruit et l'agitation achevaient de rendre l'atmosphère cauchemardesque. Ça s'engueulait de tous les côtés. Les athlètes se bagarraient avec les agents de sécurité à propos de leur matos. Ces cons voulaient faire ouvrir toutes les sacoches. Le pire, c'était leur obsession pour les étuis des perchistes. Leur bazar mesurait plus de cinq mètres, pour un peu, les vigiles auraient découpé les tiges de carbone télescopiques, au cas où elles auraient été bourrées de cocaïne.

— Ça va les gars, braillaient les sportifs, laissez-nous rentrer chez nous. On en a soupé de votre pays de tarés.

On a pris un café debout, il avait un goût de cendres. Ma poitrine me brûlait, je me demandais si je n'étais pas sur le point de faire un malaise cardiaque, ça aurait été le bouquet. Anna m'a fait remarquer que j'étais pâle, ce qui a augmenté ma panique. J'ai dit que ça allait, c'était l'air conditionné qui ne me réussissait pas. Elle a rétorqué quelque chose que je n'ai pas compris, subitement, je faisais un blocage à l'anglais, ça devait être psychosomatique. La vérité, c'est qu'on était désespérés, on luttait pour ne pas chialer.

En définitive, on aurait mieux fait de ne pas se retenir. Je ne connais rien de pire que cette sensation de boule dans le larynx, des spasmes atroces vous broient la pomme d'Adam, on jurerait qu'on est en train de crever. On a enfin annoncé le vol de la Northwest pour Detroit. L'aéroport d'Atlanta est un labyrinthe, dénicher sa porte d'embarquement relève de l'exploit. Il faut prendre un métro, ne pas se gourer de station, rien n'est indiqué. Le plus sûr moyen de ne pas rater mon avion était de suivre mon groupe.

— Il faut que j'y aille, j'ai dit.

Anna a souri en zigzag et m'a tendu une enveloppe « à n'ouvrir qu'après le décollage ».

Je l'ai embrassée vite fait et j'ai tourné les talons.

La dernière vision que j'ai eue d'elle est celle d'un spectre immobile au milieu d'une foule piaffante et, de son côté, elle a conservé de moi l'image fuyante d'un dos en mouvement, rien de fameux.

16

ANNA

La carte pour Sam représentait deux enfants de dos, un petit garçon et une petite fille. Je l'avais trouvée sur un tourniquet au *mall* de Lennox. Ils marchaient sur un quai de gare en se tenant la main. Le petit garçon portait une valise. La photo était en noir et blanc, elle devait dater des années quarante. On ne voyait pas leurs visages, on ne savait pas où ils allaient. Est-ce qu'ils s'apprêtaient à monter ensemble dans le train ou, au contraire, à se quitter pour toujours ? Le cliché était sinistre. Peut-être parce qu'il s'agissait d'une scène de départ, je ne sais pas. J'avais écrit à Sam qu'entre nous il ne pouvait pas être question d'adieu, d'ailleurs, en anglais, le mot « adieu » n'existe pas. On dit juste « au revoir », j'avais souligné le mot « au revoir », en français. Après l'appel de la Northwest, j'ai couru au *duty free*. J'ai cherché *Cool Water*, de Davidoff et vidé le flacon de démonstration sur mon foulard. Toute la boutique sentait le parfum de Sam. J'ai raflé les deux dernières fiasques et rejoint ma porte d'embarquement. Une file de morts-vivants s'étirait devant le comptoir, les jeux Olympiques avaient lessivé tout le monde. Je suis montée dans le 727 de la Lufthansa. Toute la cabine s'interrogeait sur la provenance de l'odeur entêtante qui montait de ma rangée. Une bimbo en tailleur s'est plainte à une hôtesse. Elle a réclamé de l'Advil. C'est vrai que j'avais un peu forcé la dose. Je me suis ratatinée sur mon siège et j'ai enfilé mes écouteurs.

J'ai regardé par le hublot. Une brume de chaleur voilait la Géorgie. Le décollage s'est fait en douceur, n'empêche, quand l'avion s'est arraché du sol, j'ai senti un coup de poignard sous mes côtes gauches. J'ai visualisé les traînées noires sur la piste, les stigmates parallèles de goudron laissés par la gomme de millions de trains d'atterrissage. J'ai senti mon cœur se taguer des mêmes empreintes indélébiles. En bas, la ville rapetissait, les buildings ressemblaient à des aiguilles plantées sur un porte-épingles et on distinguait à peine le flot des voitures. J'ai imaginé Najid frappant à la porte de la chambre 5806. Est-ce qu'elle sentait encore *Cool Water* ? Et qui allait se coucher dans notre lit cette nuit ?

Mon voisin s'est mis à me faire des signes en désignant la pochette du dossier de devant. J'ai ôté mon oreillette.

— Je peux vous emprunter votre journal ?

J'ai fait « oui ».

— Vous allez à Francfort ?

J'ai répondu que si cet avion n'était pas un omnibus, il y avait en effet de grandes chances pour qu'on se rende au même endroit. Il a ri.

— Quel balourd je fais. Mais pour le journal, c'est pas du baratin.

C'était un Allemand, plutôt pas mal. Élégant. Avec un accent de Hanovre. On s'est présentés. Peter. Anna.

— Vous voulez boire quelque chose, Anna ?

J'ai dit « Oui. Du chardonnay ». Le service n'avait pas encore commencé. Il s'est détaché et a filé en direction du box de l'équipage. Le Boeing n'avait pas encore atteint sa vitesse de croisière, j'ai songé qu'il allait se faire envoyer sur les roses. Et non. Il est revenu avec deux coupes pleines à ras bord.

— À notre traversée de l'Atlantique ! il a dit.

Les verres étaient en verre, ça m'a étonnée. Il a précisé qu'il avait baratiné une hôtesse en première classe.

— Je ne supporte pas de boire dans du plastique.

Il a avoué en riant qu'il n'avait aucun mérite, il était navigant de la Lufthansa. On a trinqué, bercés par les palpitations réconfortantes des réacteurs. Il y avait quelque chose de rassurant dans leur ronronnement capitonné. Pour la première fois depuis vingt et un jours, je me suis sentie relax. On a bavardé de tout et de rien. Un matelas de nuages roses défilait derrière les hublots. Une hôtesse sucrée a surgi derrière un chariot tintinnabulant.

— Vous désirez boire quelque chose ?

Peter a recommandé deux chardonnay et m'a passé le menu. Le choix n'était pas fameux, j'ai grimacé.

— Ne vous en faites pas, il a dit, vous allez adorer.

Il a ajouté que, dans les airs comme à l'école, tout ce qui se mangeait était délicieux. Il avait une voix suave. L'idée d'un *crash* en sa compagnie m'a semblé supportable. Presque souhaitable. J'ai songé que ça irait vite. Plus vite que les projectiles fusant dans la cabine et plus vite que la peur. La nuit est tombée d'un coup. Un clair-obscur troué par le clignotement du bout de l'aile. J'ai pensé aux vers luisants de la route 104 et que ma parade amoureuse était terminée. Mon mâle en rut clignoterait désormais dans d'autres cieux. J'ai demandé au steward où on était. Il ne savait pas exactement. Peter a précisé qu'on ne tarderait pas à survoler l'Atlantique. Je me suis calée contre l'ogive en Plexiglas et j'ai scruté le néant. Un détail m'a fait sursauter. J'étais côté Grande Ourse, comme au *Westin.*

Est-ce que Sam la voyait aussi ?

Il avait décollé deux heures avant moi, où était-il, à ce moment précis, à quel endroit de l'océan ?

J'ai cherché la carte du globe dans le magazine de la Lufthansa. On passait par Terre-Neuve, mais quelle route prenait la Northwest ? Sam avait parlé d'une escale à Detroit. J'essayais d'élaborer une logique de trajet. Impossible d'être sûre à 100 %. La seule chose indubitable, c'est qu'on volait tous les deux vers l'est. On allait au moins dans la même direction. La direction opposée à notre amour. J'ai pensé *Tant pis, de toute façon, je veux rentrer au pays du miel*, et j'ai dormi jusqu'à Francfort.

À l'aéroport, Lorenz se tenait bras croisés, à l'écart de la foule, il ne se fondait pas dans le décor. À côté de lui, tout le monde paraissait ordinaire. Alors que ça s'agitait dans tous les sens, il était là, immobile, les yeux fixés sur la porte des arrivées. Il portait une veste et une chemise blanches, ses cheveux avaient poussé, ils lui arrivaient aux épaules, il m'a fait l'effet d'un prince viking. Surtout, il se dégageait de lui une telle impression de sérénité que j'ai songé que tout allait rentrer dans l'ordre.

Je l'ai embrassé mais je ne me suis pas attardée dans ses bras. Il n'a pas cherché à me retenir. Il aurait pu mettre ça sur le compte d'une pudeur ou d'une timidité après un mois de séparation, mais j'ai lu dans ses yeux qu'il se doutait de quelque chose. Il n'a pas fait de commentaire.

Au fond, on sait ce qu'il y a à savoir.

Ça nous prend quoi, de faire le tour de toutes les situations de la vie ? Combien d'années au juste ? Dix, quinze ans ? Oui, dix, quinze ans suffisent pour avoir une idée assez claire des situations. Dans ce laps de temps, on a largement l'occasion de se confronter à toutes les réalités. À l'amour, à l'angoisse, à la solitude. Bien sûr, au début, à l'adolescence, on n'est pas à la hauteur, les coups paraissent trop durs, tous les coups. On se dit qu'on ne s'en sortira pas, c'est pas possible. On croit que si, par hasard, on survit à un chagrin, on y aura laissé tellement de plumes qu'on sera un vrai zombi. Et non. Ça passe tellement vite. L'amour, l'angoisse, la solitude, le chagrin. On n'a pas le temps de devenir infirme. On a à peine senti la douleur qu'on est déjà pris ailleurs. Occupé à autre chose. Et on a beau désigner l'endroit où ça faisait mal, on ne sent plus rien. Alors on se demande ce qui avait bien pu nous laisser envisager la possibilité d'une souffrance ou d'une exaltation éternelles, si ce n'était l'illusion d'être éternel soi-même.

17

SAM

Et merde, j'ai oublié de brancher ma boîte vocale. Ce soir, c'est pas grave, il n'y a plus personne dans le service, le problème, c'est demain. Anna va m'appeler et Marco va trouver ça louche. Pourvu qu'il ne décroche pas, Anna serait fichue de lui laisser un message. Je vois d'ici le sourire narquois de Marco : « Sam, il y a encore cette Américaine qui a cherché à te joindre. »

Ces derniers temps, il me regarde d'un drôle d'air, tous ces appels l'intriguent. Comme il est curieux de nature et complètement bilingue, je me méfie. Pour parler à Anna, je planque ma bouche derrière ma main et j'essaie d'employer des mots anglais neutres, mais vu le mal que j'ai à trouver des mots anglais tout court, des mots neutres, vous m'avez compris. Disons que, quand je parviens à aligner trois phrases du style, « *How are you ? I think a lot of you* » ou « *I miss you very much* », je m'estime heureux. La plupart du temps, je me contente d'écouter Anna et d'acquiescer quand elle me demande « *Do you love me ? Do you want me ? Are you still in love ?* » Je souffle des rafales de « *yes* » dans l'appareil, c'est à peu près tout ce que je peux exprimer, mais apparemment, ça lui suffit.

Anna. Je pense sans arrêt à toi. Je pense à nous. Je pense à Atlanta. Je voudrais que tu sois là. Il ferait chaud et humide. On marcherait dans le parc du Centenaire. Tu porterais ta robe de coton blanc. Je verrais tes yeux brillants sous ta casquette Banana Republic. On ne parlerait pas. Ce serait comme le premier soir, dans Peachtree Street.

Je relis son dernier fax, j'en reçois un par jour au bureau, je fais gaffe à les réceptionner moi-même. Quand j'entends le crachotement du télécopieur, je fais un saut de carpe en louchant sur Marco, il faut voir son air narquois quand le 00 49 s'affiche sur l'écran digital. Quelle connerie, cette invention du numérique qui permet d'identifier la provenance de l'appel !

Avant Atlanta, je me marrais en lisant Updike, un bouquin en particulier : *Épouse-moi.*

C'est l'histoire de deux amants, Sally et Jerry. Sally est mariée avec Richard et Jerry avec Ruth. Les deux couples habitent la maison d'à côté, leurs mômes jouent ensemble et prennent le même car scolaire. Ça se passe en été dans le Connecticut. Quelque part au bord de l'océan, entre des cordons de dunes. Même si on n'a aucune idée d'où se trouve le Connecticut, on y est tout de suite catapulté. La chaleur est intenable. On est en nage. Comme Jerry et Sally, qui se planquent pour se bécoter. Ils dégoulinent en baisant derrière les rochers. Ils sont tombés amoureux petit à petit. Au départ, ils étaient juste voisins. Le gars et la fille *next door.* Les deux familles faisaient des barbecues ensemble, les hommes vidaient des canettes de Bud et les femmes cancanaient. Mais au fur et à mesure, Sally et Jerry ont louché l'un sur l'autre. Au début de leur liaison, on sent que, si ça ne tenait qu'à eux, ils ficheraient le camp à Miami ou ailleurs. Pas forcément pour longtemps. Disons qu'ils tenteraient le coup. Comme au poker. Pour voir.

Sauf qu'il y a les gosses, la paroisse, les crédits, le qu'en-dira-t-on. Des trucs impossibles à liquider vite fait. Au bout d'un moment, Sally craque, elle met la pression à Jerry. Elle veut tout plaquer et se faire la malle avec lui. Lui, il se défile.

Il a la trouille. Il n'est pas sûr de retrouver du boulot à Miami ou ailleurs. Sans parler de la pension alimentaire. Sa bonne femme l'éplucherait. Sally fait la gueule. Elle se met aux abonnés absents. Jerry fait des pieds et des mains pour la récupérer. Et il la récupère. Et ils remettent le couvert en cachette. À la fin, elle en a vraiment marre, elle envoie le timoré bouler, tchao. Évidemment, ça finit mal.

À Atlanta, j'ai offert à Anna : *En avoir ou pas.* Un clin d'œil au film de Hawks et à la fameuse photo d'Humphrey Bogart et Lauren Bacall sur sa table de nuit. Le lendemain, elle m'a fait déposer *The Great Gatsby* à la réception du *Westin.* Outre le clin d'œil – elle prétend que j'ai un côté Gatsby –, elle voulait que je lise Scott Fitzgerald en version originale.

Depuis qu'on est rentrés, on s'échange des livres. Elle achète les miens à Genève et, de mon côté, je squatte la librairie allemande de la rue Rambuteau. Je lui ai expédié *La République de l'amour*, de Carol Shields – les Allemands, allez savoir pourquoi, ont traduit le titre par *La Tyrannie de l'amour.* Sur le coup, j'ai trouvé ça nul… et bon, si on y réfléchit…

De son côté, elle m'a envoyé *Les Souffrances du jeune Werther*, de Goethe, qui m'ont emmerdé. Moi qui ai adoré *Fragments d'un discours amoureux*, de Roland Barthes, où il est sans arrêt question du fameux Werther… quelle barbe, en vérité, que ce péteux exalté !

Betty a tiqué sur mon intérêt pour les auteurs allemands.

— Tu as toujours prétendu les détester, elle a dit.

J'étais rentré du Virgin avec l'œuvre complète d'Arthur Schnitzler. Dans une revue littéraire, on comparait ses nouvelles à celles de Maupassant. J'ai objecté que Schnitzler était autrichien, ce qui n'a pas convaincu Betty.

C'est vrai qu'avant de rencontrer Anna il ne me serait jamais venu à l'idée de lire ce genre de trucs. Au bout de trois volumes, Schnitzler a fini par me barber. Son roman *Thérèse* m'a même franchement rebuté. Cette accumulation de malheurs sur une personne aussi dépourvue d'intérêt frise le ridicule. À mon avis, Maupassant peut dormir tranquille.

— Sam, qu'est-ce que tu fiches ?

Une demi-heure que je suis bouclé dans la salle de bains, seul endroit où je puisse relire la prose d'Anna sans être dérangé. Je replie le fax à la hâte, l'enfouis dans la poche arrière de mon jean. Je sais, c'est limite, mais Betty n'est pas du genre à fouiller. Encore que.

La perspective d'une soirée avec ma femme me pèse. On s'est dit l'essentiel, ce que j'ai fait aujourd'hui, qui elle a maquillé. Je traîne des pieds en entrant dans la chambre, elle le remarque *illico*.

— Dis donc, quel entrain !

— J'ai pas envie de regarder la télé, je dis.

— Mais il y a un film super, sur Paris Première…

M'en fous, du film. Ce qui me plairait, c'est de rester allongé dans le silence et dans le noir. Je veux me repasser en boucle mon film à moi. Tous les fantasmes que je n'ai pas réalisés avec Anna. Toutes les manières de la faire jouir, je n'en ai pas expérimenté le quart. Est-ce qu'elle aimerait que je ? Rien qu'à cette idée, j'ai une érection phénoménale. Je me retourne sur le ventre.

— Tu es crevé à ce point-là ? gémit Betty.

Pas crevé, non. Sonné. Je ne me fais pas à la situation. Je ne supporte plus d'avoir le cul entre deux chaises.

Je lui demande mentalement pardon. Elle ne mérite pas ça. Elle ne mérite pas mes allers-retours à Atlanta, ni le reste. Je la prends dans mes bras. Je ne bande plus. Je l'aime et je ne bande plus. Je n'imaginais même pas que ça se pouvait. Elle est ma vie. Sans elle, je suis fini. *Out.* Et je ne la désire pas. Je niche ma tête dans son cou, j'enroule mes jambes autour des siennes, Betty, Betty, Betty. Je caresse ses seins de soie. Je ne bande pas, mais il n'y a pas de frustration dans ce constat. Ce qui prédomine, c'est un sentiment de bonheur total. Je ne serais nulle part ailleurs mieux que dans ses bras. Personne ne pourrait me rendre plus serein. Je suis un môme dans le giron de sa nourrice. Elle me regarde, perplexe. Est-ce que par hasard, ce serait une invitation ?

Elle ne bronche pas. Elle est crevée. Elle a bossé dur toute la journée. Dix heures sans une pause. Elle n'a pas envie non plus. Ça tombe bien. Je ferme les paupières. « Bonne nuit Betty. Bonne nuit Sam. » Elle fait semblant de dormir.

Avant Atlanta, je ne la laissais pas faire semblant. Je me plaquais contre son dos, mon sexe escaladait ses fesses. Elle a un cul sublime en forme de cœur. Au début, elle ne bougeait pas. Elle disait « Sam, il est trop tard ». Elle me repoussait et, en même temps, elle arc-boutait son ventre. Je plongeais en elle. Je disais « Dors, mon amour, ne fais pas attention ». Elle gémissait « OK. Mais va doucement ». Je n'allais pas doucement. Dans la baise, on était des sauvages. On finissait en nage, gluants comme des limaces. Puis on tombait raides, à même le matelas, les draps avaient volé depuis longtemps.

À présent, tout ça, c'est fini.

Betty se colle contre moi.

— Sam, tu dors ?

Je ne réponds pas. Elle se lève. Elle va à la cuisine. Ouvre le réfrigérateur. Se sert un verre. J'entends tinter les glaçons. Qu'est-ce qu'elle boit ? Elle ne revient pas dans la chambre. Ça n'est donc pas de l'eau. La preuve, elle allume le salon. Elle choisit un CD.

Non, Betty, pas celui là... Pas maintenant. Pas Ray Charles. Pas *Georgia*. J'ai besoin d'un peu de répit, ici, à Paris. Évidemment, il s'agit d'une prière silencieuse, comment lui expliquer ça ?

Les notes se répandent comme une lave qui bouillonne. Des prairies émeraude se mettent à défiler sous mes paupières fermées, je plonge dans la rivière Chattahoochee, *Georgia, Geo-o-rgia*… Et Anna *on my mind again.*

La bonne nouvelle, c'est que je pars bientôt à Monza, pour le Grand Prix. Je ne suis pas spécialiste de Formule 1, en temps normal, je filme l'athlétisme, mais Monza, c'est ce que j'ai trouvé de plus près de Munich. Marco s'était mis sur le coup, on a failli avoir un clash, tous les deux. J'ai discuté, je lui ai dit : « Écoute, je ne te demande jamais rien, mais là, fais-moi plaisir, je veux aller en Italie. » Il a hésité, puis devant mon air flippé, il s'est marré, et il m'a fait : « Bon, s'il s'agit d'une affaire privée, je m'incline. »

Je n'ai pas relevé le sous-entendu et on en est restés là, à un *statu quo* aimable. Munich-Milan, ça va chercher dans les trois heures et demie de route, Anna me rejoint le vendredi soir, ça nous fera deux nuits ensemble. Samedi, c'est les essais, je ne serai pas surchargé, on filera à Vérone et, pourquoi pas, à Venise, de Milan, c'est pas le bout du monde. Ça nous rappellera notre fameuse journée à Dahlonega, la plus belle de ma vie.

18

ANNA

Sam et moi on n'est plus les sublimes amants d'Atlanta, mais un couple adultère ordinaire empêtré dans une conjoncture sordide.

À Atlanta, bien sûr, on voyait les choses autrement. On vivait au jour le jour, sans entraves, dans l'atmosphère exaltée des Jeux. Un univers magique. On était les enfants de Mary Poppins. Jane et Michael Banks. On sautait d'un bond dans des mondes enchantés, Sam était le petit garçon, moi la petite fille, on flottait dans l'espace comme des ballons gonflés à l'hélium et on passait d'un éblouissement à l'autre sans se poser de questions. Lorenz et Betty ne faisaient pas partie du film.

Depuis notre retour, communiquer nous demande une énergie phénoménale. Pour y arriver, il faut chaque fois engager un marathon. Trouver un moment de libre, et qu'il coïncide avec la disponibilité de l'autre. Dénicher un endroit tranquille, on ne veut plus se téléphoner à la hâte. La première semaine, on s'en fichait, l'essentiel était de nous pendre au bout du fil et peu nous importaient les mots ou les silences, il nous suffisait de nous entendre respirer. Mais après un mois ce n'est plus assez. À Canal, les murs ont des oreilles, Sam doit ruser pour m'appeler et, quand il est en tournage, ce n'est pas facile non plus. Il prétend qu'il pourra bientôt établir la carte de France des cabines téléphoniques.

On se contente donc des rares occasions qui se présentent, mais on est en permanence frustrés. On sait que tous ces moments volés, même mis bout à bout, ne rempliront jamais nos existences, ils ne feront au contraire qu'en souligner la vacuité.

Mettons qu'on reste comme on est, Sam à Paris, moi à Munich. À quoi ça nous mènera, au bout du compte ? si rien de nouveau ne se produit, aucun événement petit ou grand ? Et supposons qu'on vive ensemble un jour. Est-ce que ce qui était extraordinaire à Atlanta sera extraordinaire à Munich ou à Paris ? Et même si ça l'était ? Est-ce que ça serait plus extraordinaire que ça l'est déjà avec Lorenz ? Est-ce qu'au bout d'allez, trois ans, au mieux, on ne se retrouverait pas au même point qu'aujourd'hui ? J'aimerais Sam autant que j'aime Lorenz, alors quoi ? Pourquoi changer ?

Oui mais les trois ans, est-ce qu'ils ne valent pas la peine d'être vécus ? Trois ans de nuits avec Sam. Avant Lorenz, je prétendais que oui.

Je piétine sur le parking du centre commercial de Munich, il tombe des cordes. Rien à voir avec l'ambiance alanguie du *mall* d'Atlanta. Les clients galopent entre leurs voitures et l'auvent qui abrite les Caddie. Ils fouillent nerveusement leurs poches à la recherche d'un pfennig. Ils sont harassés et blafards, des survivants de Tchernobyl. Est-ce que je voudrais leur ressembler et mener leur vie avec Sam ?

Je compose son numéro. Occupé. Les fantômes trempés frôlent la cabine. Ils tentent de s'abriter sous des sacs en papier recyclable, mais leurs habits dégoulinent. Leurs mômes surexcités plongent dans les flaques et se font houspiller. Hans, Friedrich, Ulla, tenez-vous tranquilles. Sinon ça va barder. Les pères déverrouillent à la hâte le hayon du break familial et commencent à charger le coffre. Les packs de lait et de soda d'abord. Les mères écartent les denrées fragiles. « Il faut ranger les fruits sur le côté. Et fais attention au muesli. » Les petits éventrent les paquets de gâteaux avec leurs bras de Shiva. « *Bitte Mutter.* » Elles disent « Non. Les sucreries, c'est pour après manger. Tout à l'heure, vous allez encore chipoter sur vos assiettes. » Frustrés, ils se mettent à ruer en direction de leurs frères et sœurs et à cracher des chapelets de grossièretés. Ce qui provoque un concert de hurlements outrés. « MA-MAN ! IL M'A TRAITÉE ! » Le grand jure que c'est pas vrai. C'est la naine qui a commencé. « Bouclez-la », tonne le patriarche. La matriarche soupire et pousse sa nichée à l'abri. Elle les aligne sur la banquette arrière et sangle leurs ceintures de sécurité. « Ça suffit, maintenant, tenez-vous tranquilles. » Ça ne met pas fin au combat. Les torses sont entravés, mais il pleut des coups de pied.

J'appuie sur la touche « Bis » du téléphone public. Ça resonne. Deux fois. Et ça décroche.

— Allô.

— Sam, c'est moi. Je te dérange ?

— Non.

— Tu es sûr ?

Il dit « oui ». Il a une voix blanche, cassée en morceaux.

— Ça va, *mein Liebe* ?

— Comme un 747 en train de perdre une aile, il répond.

— Sam !

— Désolé, Anna. C'est pas la grande forme.

— Qu'est-ce que tu fais ?

Il est débordé. Il part demain pour Barcelone.

— J'ai chopé la crève, j'arrête pas de tousser, tenir la portable entre deux quintes, ça va pas être du billard.

Je lui demande s'il prend des médicaments. Il répond « Non, ça sert à rien, il faut attendre que ça passe ». Il écarte le récepteur, je perçois un déchirement rauque. Il souffle « Excuse-moi, je fume trop. Je suis à deux paquets de Lucky par jour. T'es toujours là ? » Je dis « Oui ». Et je dis que je voudrais être en train de le soigner. Il rentrerait en vrac à la maison, je lui aurais préparé une inhalation au menthol et une soupe aux légumes hypervitaminée, il débarrasserait ses bronches et on comaterait pépères devant une série télé avant d'aller se coucher. Il rit et il tousse encore plus fort.

— Tais-toi, Anna, il s'étrangle, ne me fais pas cauchemarder. Tu nous imagines autour d'un bol fumant et dans des chaussons mous, somnolant devant « Derrick » ?

— Oui, c'est comme si j'y étais, je réponds. Je donnerais tout pour t'avoir à côté ne serait-ce que cinq minutes. Même malade à crever devant « Derrick ».

— Arrête tes conneries, il fait. Si tu me voyais en sueur et crachant mes tripes, je suis sûr que tu me plaquerais.

Je réponds qu'au contraire je l'aimerais davantage encore. Que partager les désagréments, c'est exactement le principe de l'amour. Je dis que s'aimer à Atlanta était trop propre et trop beau. Pour durer, l'amour exige un minimum d'animalité. Il s'étouffe au bout du fil.

— Anna, arrête de déconner. Entre nous, on peut s'épargner les glaires et les crachats !

Je dis « Non, on ne peut pas ». Et je dis que je rêve de l'entraîner sous les néons du supermarché d'en face. On dévaliserait la parapharmacie et on ferait la queue au rayon poissonnerie pour faire le plein d'oméga-3 et d'oligoéléments.

— C'est ça, il dit, et poireauter dans les relents visqueux des boyaux de cabillaud et de rouget serait d'un romantisme !

— Oui, vu qu'en attendant l'écaillage, on se bécoterait comme des ados. Et on passerait en caisse avec nos filets pleins, flamboyants et victorieux comme le Cubain du *Vieil Homme et la mer*.

Il dit que le Vieux n'était pas si flamboyant que ça en ne ramenant au port qu'une carcasse d'espadon. « Les requins l'avaient bouffé jusqu'aux arêtes ! Il n'était resté que la tête. »

Je dis « D'accord, mais avant l'attaque, il avait réalisé la plus belle prise de sa vie ». Il cite Hemingway de mémoire.

« Tu veux ma mort, poisson. C'est ton droit. Camarade, j'ai jamais rien vu de plus grand, ni de plus noble, ni de plus calme, ni de plus beau que toi. Allez, vas-y, tue-moi. Ça m'est égal lequel de nous deux tue l'autre. Qu'est-ce que je raconte. Voilà que je déraille. Faut garder la tête froide. Garde la tête froide et endure ton mal comme un homme. Ou comme un poisson. »

Il se tait, il y a un silence sur la ligne. Je me demande à quoi il pense au juste en évoquant le combat du pêcheur cubain et de son espadon.

— Tu es toujours là, Santiago ? (C'est le nom du héros du livre.)

Il dit « Oui. Quand est-ce qu'on embarque sur le Gulf Stream, ma chérie ? »

Dehors, la pluie a redoublé. Les parois de la cabine sont des hublots de chalutier fouettés par les déferlantes et les lampadaires du parking clignotent comme des phares. Je me fais soudain l'effet d'une naufragée. Qu'est-ce que je fiche là ?

J'attends qu'il parle de nous. Il ne parle pas de nous.

— Parle-moi de nous, mon amour.

Il dit « C'est comme si tu me touchais ».

Je lui dis « Et ça te fait quel effet ? ».

Il dit « Je bande. »

Il rit.

— Je voudrais que tu voies ça.

— Je vois.

— Tu vois quoi ?

— Je vois ton sexe qui enfle.

Il y a encore des rires. Des silences. Des insinuations. Des suggestions érotiques. On est passés experts en matière de sexe longue distance. On dresse un inventaire précis de ce qu'on ferait si on était dans une chambre. On fait semblant de s'exalter mais on n'est pas dupes.

— Et à part ça ?

— À part ça, j'ai hâte d'être à Monza.

— Moi aussi.

Il raccroche. C'est fini. Il fait quoi, maintenant ? Est-ce qu'il a l'air songeur ? Est-ce qu'il replonge abruptement dans le travail, rideau, la vie continue ? Est-ce que son cœur a des ratés pendant quelques secondes encore ? De mon côté, je me remémore la conversation. Ce qu'il a dit. Ce qu'il n'a pas dit. Les turbulences de son mutisme. Je l'aime comme personne. Je l'aime dans la réticence et dans l'absence. Cet amour-là n'est ni plus ni moins qu'un rêve. Tant qu'on ne se réveille pas, on galope sur la mer. On file sur une licorne qui fend les flots.

Impossible évidemment de dire à Sam des choses aussi logiques et navrantes. Quand il m'appellera, je lui répéterai que je l'adore, que, sans lui, la vie est pire que le pire des hivers, froid, nu, noir, mort. Je lui dirai : tu n'imagines pas comme un hiver peut être mortifère, tu n'es pas né en Bavière, et même si tu vis dans une grande ville, comme moi, Paris n'est pas Munich. Paris, c'est Paris, c'est la ville des amours, la Ville lumière.

Mon but, aujourd'hui : prendre mon petit dèj et survivre jusqu'à Monza.

19

SAM

J'ai eu une conversation tendue avec Marco. Il se doutait pour Anna. Il m'a parlé des tennis blanches dans la chambre du *Westin*, le soir du 100 mètres de Donovan Bailey.

— C'était elle ? il a demandé.

J'ai agité la tête de haut en bas.

— T'as bien caché ton jeu. Où tu l'as dégottée ?

— Elle créchait au *Westin*.

— Elle est américaine ?

— Non. Allemande.

— Une Allemande ! *Mamma mia!* Tu déconnes à plein tube, mec.

Il s'est mis à gesticuler comme un automate épileptique.

— Sam, t'es givré. T'as une femme du tonnerre, qu'est-ce que tu fous avec une Teutonne ? C'est un peuple de tarés. Ça va te mener à quoi ?

Je lui ai rappelé qu'il était mal placé pour me donner des conseils.

— Tu passes ton temps à tromper Angela, espèce de détraqué.

Il a pris un air scandalisé.

— Je n'ai jamais eu de liaison ! il a braillé.

On a mis les choses au point. C'était la première fois que je parlais de cette histoire à quelqu'un. Ça a débordé comme du lait sur le feu. Je lui ai tout balancé. Je lui ai dit que j'étais à cran, j'avais même commencé à prendre des pastoches. Du Xanax. J'ai un filet qui se resserre autour de ma pomme d'Adam et, à des moments, je n'arrive plus à déglutir. Marco a vu que je filais du mauvais coton.

— Fais comme moi ! Tape-toi des filles d'un soir.

— Je ne suis pas comme toi, Marco.

— Mais ça t'est arrivé, Sammy. Rappelle-toi Barcelone. Tu t'éclatais avec des bombasses de passage, oui ou merde ? T'en as revu aucune. Aucune ne t'a manqué. Ton Allemande, c'est kif-kif, c'est rien qu'une histoire de cul.

J'ai dit « Non ». Les histoires de cul, ça ne file pas des symptômes pareils. Ça n'empêche pas de dormir, de manger, ni d'entretenir des relations normales avec les autres. Ça ne vous donne pas un drôle d'air, le genre qui fait qu'on vous demande : « Mais qu'est-ce que t'as ? T'es sûr que ça va ? T'es malade ? » Les histoires de cul, ça rend gaillard. Personne autour de vous n'est inquiet, au contraire. On vous charrie, on vous pousse du coude, on vous dit : « Je vois que t'es en forme, pas besoin de nous faire un dessin. » Et vous riez comme un balourd qui va s'en payer une bonne tranche. J'ai ajouté que là, j'étais tombé sur un os. Que j'avais Anna dans la peau. Et que chaque minute de ma vie était devenue une torture.

— Je ne suis plus un être humain, Marco, j'ai dit. On m'a enterré le 5 août. Il y a eu du monde à l'office, tu peux me croire. D'ailleurs, tu y étais. Il y a eu des fleurs sur mon cercueil, on m'a descendu dans un trou avec des cordes, tu te rappelles pas ? Sauf que quand vous êtes tous partis du cimetière, je me suis libéré de mon linceul et je suis remonté à l'air libre. J'ai erré comme un con dans les allées, où j'ai croisé d'autres fantômes. Si, si, je te jure. Même qu'entre nous on se reconnaissait. On se saluait du bout des voiles, on s'est même parlé. T'es qui, mon pote ? Ça fait longtemps que t'as passé l'arme à gauche ? T'imagines pas comme les fantômes sont bavards. Ils te racontent leur mort de long en large. Ils ne te passent aucun détail de leur agonie. La plupart en étaient là pour les mêmes raisons que moi. On est restés des heures à s'échanger nos propos d'outre-tombe et, à un moment donné, j'ai mis les bouts. Je suis sorti par la grande porte. Et me voilà.

Marco me regardait comme si j'étais devenu cinglé.

— Merde, il a soufflé, je ne sais pas quoi te dire. T'es sûr que c'est pas ta saloperie de Xanax qui te chamboule le ciboulot ?

Il m'a fait tout un laïus sur Betty, comme quoi c'était la seule base solide de ma vie.

— Le mariage, c'est le top du top, mec ! Un *room service* gratos à domicile ! Bouffe et pipes à gogo. Le panard absolu. Ton histoire avec l'Allemande, c'est pas de l'amour véritable, c'est une contrefaçon.

— Peut-être, j'ai répondu, mais ma tête sur le billot qu'un expert n'y verrait que du feu.

— Sam, t'es un foutu gobeur de mouches, il a gémi. Si t'étais raisonnable, tu t'en rendrais compte.

Sauf que ma raison a pris le maquis. Je lui ai tout balancé. De notre première nuit au *Westin* à la virée à Dahlonega, je lui ai raconté *Time in a Bottle* et Noël en août. J'ai dit que, dans la vraie vie, des trucs comme ça n'existaient pas.

— T'as déjà entendu parler de Jim Croce, toi ?

J'ai prononcé son nom à l'américaine, Jim Crotchi, évidemment, ça lui disait que dalle.

— T'es au milieu de nulle part, tu demandes une chanson précise de ce gars, et elle t'arrive pile, avec les premières notes d'intro, comment t'expliques ça ?

— Ça s'appelle des coïncidences, il a ricané. C'est banal. Ça arrive sans arrêt. Tu penses à quelqu'un et il t'appelle à ce moment-là, rien à voir avec l'inexplicable, c'est même pas de la transmission de pensée. C'est juste un hasard, mec.

Sauf que c'est celui-là dont tu te souviens. Combien de fois tu penses à quelqu'un qui t'appelle pas ?

— Et si tu te gourais ? j'ai dit. S'il y avait quelque chose ou quelqu'un ? Un truc qui échappe complètement à notre entendement ?

— Y a des tas de trucs qui échappent à notre entendement, il a fait. On n'a pas exploré 10 % des capacités d'un cerveau humain. On est des branques dans ce domaine. Si ça se trouve, c'est un phénomène qui obéit à des lois physiques qu'on ignore. Tu crois qu'au Moyen Âge les gars auraient imaginé qu'on pourrait communiquer par ondes radio ?

Il s'est gondolé comme un débile.

— Tout ça, c'est juste un problème d'évolution, il a dit. Ça s'expliquera dans le futur, comme l'électricité ou le vaccin contre le tétanos. Dans mille ans, les gens nous prendront pour des arriérés de ne pas avoir pigé qu'on pouvait décrocher la lune avec un millimètre de matière grise. Tu crois pas au pouvoir de l'énergie, toi ? Va savoir ce qui se goupille dans l'espace entre nos désirs et leur concrétisation ?

Il a enchaîné sur les guérisseurs et sur les miracles reconnus par le Vatican, les paraplégiques qui ont remarché, les mourants qui ont vaincu leur cancer et sur la bonne femme qui a soulevé un semi-remorque parce que son môme était coincé sous une roue.

— Tout ça, mon pote, c'est dans la tête. Que ce soit la foi ou la volonté, c'est dans le coco que ça se passe. Ne va pas chercher ailleurs.

J'ai répondu que je ne voyais pas le rapport avec *Time in a Bottle*. Ça l'a énervé. Il a remis ça avec ses ondes magnétiques inexpliquées à ce jour. Mais, à un moment ou à un autre, on pigera le principe.

— Tu veux qu'on parie ? il a grogné.

J'ai dit « C'est ça, rendez-vous dans mille ans ».

En attendant, je préfère m'en tenir à la théorie de Rilke dans ses *Lettres à un jeune poète.*

« Nous devons accepter notre existence aussi complètement qu'il est possible. Tout, même l'inconcevable, doit y devenir possible. Au fond, le seul courage qui nous est demandé est de faire face à l'étrange, au merveilleux, à l'inexplicable que nous rencontrons. »

J'en ai recopié des passages entiers à Anna. Je m'étais emmerdé à les faire traduire en anglais, quel toquard ! Comme elle avait lu le livre en version originale allemande depuis des lustres, elle m'a ri au nez, évidemment. Mais, pour le contenu, elle est sur la même longueur d'onde que moi.

Oui, Anna, j'ai noté dans la marge, « nous devrions tout accepter », j'ai souligné *devrions*, au conditionnel, pour bien lui montrer le gouffre entre Rilke et moi. J'accepte sans peine qu'un mec de sa classe me donne des combines, c'est pas le problème. Mais moi, j'arrive pas à « devoir ». Je voudrais bien, ouais. Mais je n'y arrive pas. Son possible n'est pas dans mes possibilités. Pareil pour son foutu « seul courage qui nous est demandé ». J'ai fait une flèche à côté de la phrase, et j'ai écrit que le hic était dans le « courage ». La vérité, c'est qu'on a la trouille chevillée au ventre. J'ai la trouille chevillée au ventre. Rilke a aussi écrit à propos de cette trouille.

« La peur de l'inexplicable n'a pas seulement appauvri l'existence de l'individu, mais encore les rapports d'homme à homme, et les a soustraits au fleuve des possibilités infinies. »

J'ai toujours été partant pour explorer le fleuve des possibilités infinies... jusqu'à un certain point. Par exemple, à l'époque où on croyait que la Terre était plate, je ne suis pas sûr que j'aurais pris les commandes d'un navire, pour voir. J'aurais peut-être été tenté, mais ça m'aurait fait chier d'être le premier à basculer au bout du plat. Disons que j'aurais préféré attendre que d'autres prennent le bouillon. Qu'est-ce que j'aurais fait en ne les voyant pas revenir ? Mystère. Aujourd'hui, leur non-retour ne signifie plus rien, bien sûr, on sait qu'ils auraient pu choisir une autre vie sous les cocotiers… mais à l'époque ? La vérité, c'est qu'aujourd'hui pour moi, la Terre est plate. Et malgré l'admiration que j'ai pour lui, quelque part, Rilke m'emmerde avec son petit côté Monsieur J'ai-tout-pigé-bande-de-nazes.

J'ai fait des recherches sur sa pomme. Je me disais, *si ça se trouve, tout ça, c'est rien que des théories bidons nées d'une jubilation littéraire.* Dans la réalité, en plus d'être vilain – il avait une sale tronche, un front démesuré, des yeux globuleux d'hyperthyroïdien et une bouche de babouin sous une moustache broussailleuse –, ce type était peut-être un eunuque, il n'avait jamais connu d'autres passions que l'écriture. C'est facile de fabriquer de belles formules quand on n'a jamais été confronté au carnage des sentiments. Sauf que, pas de bol, dans ce domaine-là, lui aussi était tombé sur un os ! À vingt et un ans, il avait rencontré une certaine Lou Andreas-Salomé dont il était devenu dingo. Elle avait trente-six piges et déjà un sacré palmarès derrière. Elle rendait tous les hommes cinglés, et pas n'importe lesquels. Et ces deux-là se sont vraiment aimés. Il suffit de lire leur correspondance.

Dans mes rêves, je suis Rilke et Anna est ma Lou Andreas-Salomé. Et c'est vrai qu'on n'est pas des prisonniers. Qu'on n'a aucune raison de se méfier du monde.

« S'il y est des frayeurs, ce sont les nôtres : s'il y est des abîmes, ce sont nos abîmes ; s'il y est des dangers, nous devons nous efforcer de les aimer. Si nous construisons notre vie sur ce principe qu'il nous faut aller toujours au plus difficile, alors tout ce qui nous paraît encore aujourd'hui étranger nous deviendra familier et fidèle. »

Sauf qu'il faut du cran pour mettre son discours en pratique. Je n'arrive pas à la cheville de ce type.

Marco ne pige pas que je suis une carcasse dans un glacier. Avant de partir à Monza, j'ai déposé dans son casier la meilleure traduction des *Lettres à un jeune poète*, le petit livre vert sous Cellophane de chez Grasset, la publication date de 1937. Évidemment, Anna, qui a lu l'édition de 1929 parue chez Insel sous le titre *Briefe an einen jungen Dichter*, me dit qu'en français ça ne peut pas être aussi brillant. Mais bon, quand on ne comprend pas l'allemand, on fait ce qu'on peut.

Bernard Grasset disait que c'était un « manuel de la vie créatrice », mais c'est bien plus que ça. Un manuel de vie tout court. On n'a pas idée des possibilités infinies qu'offre la vie tant qu'on n'a pas lu ça. Point barre.

Marco va en prendre plein la poire, bien fait.

20

ANNA

Pendant deux jours, Sam et moi, on n'est pas sortis de l'hôtel. On a vite renoncé à Venise.

— Je ne pourrai pas t'embrasser en conduisant, il a dit. Et je ne supporterai pas d'être à côté de toi sans t'embrasser.

On a réglé la question : on ne bougerait pas de Milan. On croyait que cette unité de lieu, une chambre d'hôtel, ralentirait le temps. Mais le temps a foncé à la vitesse d'un supersonique et me revoilà à la case départ, à faire des huit à Munich.

Je recompose mentalement ces deux jours, minute après minute. Une minute de souvenir me prend une minute. Reconstituer une demi-heure me prend une demi-heure. Je vis en dehors du temps, dans une autre dimension, comme le *Funes* de Borges. L'Indien qui avait une telle mémoire qu'il pouvait se rappeler une journée entière, n'importe laquelle, cinq, dix, quinze ans en arrière, sauf que, pour s'en souvenir, il lui fallait une journée. Vingt-quatre heures complètes. Dans quel espace-temps situer cette journée ? Appartenait-elle au présent ? *Funes, el memorioso*, regardait comme personne au monde ne regarde.

« Il se rappelait chaque feuille, de chaque arbre, de chaque bois, mais aussi chacune des fois qu'il l'avait vue ou imaginée. »

Moi qui oublie tout, les endroits, les noms, les visages, je me souviens de Sam à Milan au-delà du supportable. Je repasse tout en détail, nos conversations, les mots qu'il a dits, comment il les a dits, ce que j'ai répondu, le ton de sa voix. Pareil pour les images. Une caméra ne les aurait pas mieux capturées. *Anna la memoriosa*... Nos retrouvailles sur le quai de la gare de Milan. La chaleur est suffocante. Des femmes aux yeux de faucon couvent leur marmaille innombrable. Elles jaillissent des wagons en agitant leurs tentacules. « Luigi, Paolo, Federica, surtout ne courez pas. » Les enfants accélèrent. Des pères écartent les bras. Le vacarme est assourdissant. Sam m'attend au bas de l'escalier mécanique, je le dévale quatre à quatre. *Piano piano, Bambina.* Zoom avant sur sa silhouette vacillante. Il tangue d'une jambe à l'autre. Plan américain à partir de ses genoux. Il porte un polo lavande sous une veste anthracite. Il s'est habillé chic. On se regarde enfler dans nos pupilles, je pile au pied des marches, je trébuche et il me reçoit contre sa poitrine. J'aspire une grosse bouffée de *Cool Water*. On reste figés, on est trop intimidés pour esquisser un geste. On se fait face sans parler et presque sans respirer, on n'en revient pas d'être là. « C'est bien toi mon amour ? – C'est moi. »

Un mois a passé depuis Atlanta, autant dire un million d'années. J'ai maigri. Sam a coupé ses cheveux. Un autre million d'années s'écoule avant que je me décide à oser un mouvement. On est bousculés de toutes parts. Il me serre à m'étouffer. On n'échange pas une parole. On laisse converser la chair. Je suis un papillon dans une toile d'araignée. On s'embrasse, il a un goût sucré de Life Savers. Ces bonbons n'ont jamais autant mérité leur nom de bouée de sauvetage.

— Tu veux un café ? il finit par articuler.

— Oui, je réponds, un café serré, comme nous.

On marche pour trouver un bar, on s'arrête toutes les secondes, il me plaque contre les façades des immeubles, « J'ai envie de toi, mon amour, je ne peux pas attendre ». Il presse mon ventre, aspire ma bouche, on pourrait le faire en pleine rue. On atterrit dans un café affreux, une buvette de gare qui empeste le poivron frit, mais on s'en fiche, on est en totale apesanteur. Autour, les Italiens font un boucan infernal, on laisse brailler les percolateurs. On se tasse sur une banquette prévue pour une personne et on se dévore des yeux. Les siens sont plus verts que dans mon souvenir. On récapitule nos souvenirs un par un. Notre rencontre dans l'ascenseur du *Westin*, le dîner au *Bistrot français*, le big bang au 58e, la température glaciale des chambres, nos traversées matinales du parc du Centenaire, les journées interminables à l'IBC, la nuit de l'attentat, Dahlonega, la chanson de Jim Croce, tout y passe. Sam dit qu'il écoute *Time in a Bottle* sans arrêt, ça et *Georgia* de Ray Charles. Il connaît les paroles par cœur. Je lui révèle que j'ai ajouté Otis Redding à mon répertoire, j'écoute *Sitting on the Dock of the Bay* du matin au soir, à cause d'une phrase, une seule : « *I left my home in Georgia...* »

Je lui dis que moi aussi, j'ai laissé mon cœur en Géorgie.

Il grimace.

— Je t'aime tellement, Anna.

Je lui dis que moi aussi. Rien n'a changé depuis Atlanta, mes sentiments n'ont pas bougé d'un iota.

— Je n'en ai jamais douté, il souffle. Je le savais dès le départ, dès que je t'ai vue dans l'ascenseur. Et après, ça a été de pire en pire. Je te l'ai dit, rappelle-toi. J'ai tout de suite su que j'étais foutu.

Il avait dit ça le troisième ou le quatrième jour, il avait dit que ça devenait « pire ». Il avait prononcé exactement ce mot-là. Sur le coup, je l'avais trouvé étrange, inadéquat. Peut-être s'était-il trompé. Il avait voulu dire « mieux ». Et non, il avait cherché « pire » dans son dico anglais et m'avait montré le mot. C'était bien ce qu'il voulait exprimer.

Le garçon pose deux tasses fumantes sur la table, le café est noir, on jurerait de l'encre, rien à voir avec celui qu'on buvait à Atlanta, qui ressemblait à du thé fumé.

— Et aujourd'hui ? Est-ce que c'est pire ? je demande à Sam.

— Oui. Je ne croyais même pas que c'était possible.

Il presse mes mains à les broyer.

— Je ne peux pas me passer de toi. Je ne peux simplement pas. La vie sans toi est une torture.

Anna, sois forte. Joyeuse. Vous n'avez que deux nuits. Il sort un paquet de Lucky, extirpe une cigarette. Je pose mon index sur le rond noir.

— Tu sais que ce logo a une histoire ? C'est le résultat d'un pari entre le président de l'American Tobacco et Raymond Loewy, le type qui a redessiné toute l'Amérique. Au départ, les paquets de Lucky étaient verts. Loewy a parié cinquante mille dollars qu'en changeant le design il allait doubler son chiffre d'affaires. Il a collé un gros œil rouge entouré de noir sur un fond blanc, et c'est devenu la coqueluche des GI. Ils le glissaient dans l'élastique de leur casque avant d'embarquer pour l'Europe. Les Français ont piqué le rond pour une de leurs marques de cigarettes, je ne sais pas laquelle.

— Merde, t'as raison… c'est les Disques bleus… les clopes que fumait ma grand-mère ! Anna, t'es vraiment une boss !

Il a retrouvé son entrain. Demande au serveur où on peut acheter un pack de six pour le rapporter dans la piaule. Il baragouine qu'il n'y a pas de minibar. L'autre lui indique une épicerie.

On s'est engouffrés dans un gourbi crasseux, des nuées de guêpes tournoyaient autour des fruits éclatés et les frigos dataient de l'âge des cavernes. J'ai tiré la manche de Sam. « N'achète rien, on va tomber malades. » Il a ri. « On est des aventuriers ou pas ? » Il a empilé des crackers au parmesan, des chips, des *grissini* et un carton de bouteilles vertes de la marque Peroni, la seule en rayon. Elles étaient à peine fraîches. La patronne a désigné des pains de glace qui fumaient dans une cuve bourdonnante. Sam a dit « OK. *Uno gelato* ». Elle en a fourré un dans un sac en plastique.

— Elle est pas belle, la vie ? a dit Sam.

Comme j'étais ronchon, il a fait le fou pour me dérider. Il a enjambé un distributeur de cigarettes, mimé un matador de Fiat en traversant la rue, ce qui a déclenché un récital de Klaxon hystériques. La glace dégoulinait du sac, imprégnant le côté droit de son jean. Sa gaieté était contagieuse. On n'a pas traîné longtemps dans le quartier, on avait hâte d'être à l'hôtel, « hâte » est un mot faible. Je voulais Sam à un point incroyable, au point d'avoir des contractions musculaires, des spasmes dans les reins, je n'avais jamais éprouvé une sensation pareille. C'était comme un symptôme de manque, je ne me suis jamais droguée, mais j'ai entendu parler de ce fameux effet sur l'organisme. On est oppressé, on souffre à se tordre, et rien ne peut vous soulager, hormis sa dose, il n'y a plus qu'elle qui compte, on se fiche de tout le reste. J'étais exactement dans cet état, oppressée et obnubilée par mon désir, il me fallait ma dose de Sam, là, tout de suite. J'ai saisi la signification du mot « accro » et que j'étais « accro » à Sam, au sens propre, au sens d'intoxiquée. Quoi que j'aie pu me raconter auparavant, l'illusion que ça allait, que je me faisais à son absence, que la vie reprenait son cours, j'étais dans une complète dépendance, physique et mentale. Je ne valais pas mieux que les toxicos qui grelottent sous les porches de la Marienplatz.

— L'hôtel n'est pas fameux, s'est esclaffé Sam, rien à voir avec le *Westin*. Ça ne t'ennuie pas de loger dans un bouge ?

Ça m'était complètement égal.

— Quand on a commencé par un cinq étoiles, ça fait quand même bizarre, il a insisté.

La réception était sinistre, on n'avait pas dû refaire les peintures depuis des lustres. Le patron, un gringalet survolté sorti d'un film d'Ettore Scola, a décroché une clé d'un tableau et nous l'a tendue avec un sourire équivoque.

— Attends un peu de voir l'ascenseur, a gémi Sam.

On y tenait tout juste à deux. À croire qu'il avait été spécialement conçu pour des amants. Il m'a pressée contre la paroi. Son sexe était près de crever les boutons de son jean.

— Un mois sans toi, Anna. Jure-moi que plus jamais.

— Je le jure, *mein Liebe.*

La chambre était minuscule, le lit occupait tout l'espace. Il n'y avait pas de salle de bains. Pour se doucher, il fallait sortir sur le palier.

— Je suis désolé, il a soupiré, c'était complet partout. À cause du Grand Prix.

Il avait l'air contrit, j'ai compris que le *Milano Star* n'était pas son hôtel originel, la chaîne ne l'aurait jamais envoyé là. Mais, au moins, on ne risquait pas de tomber sur une de ses connaissances. Cette idée le terrorisait déjà à Atlanta. Je n'ai pas fait de commentaire, on était ensemble, c'est tout ce qui comptait. Il a vidé la glace dans la poubelle et y a calé les bouteilles de bière.

— Dans une demi-heure, ça sera bon, il a fait.

On n'a pas mis longtemps à investir le lit dont les ressorts grinçaient, vu la distance qui nous séparait de la porte, on allait nous entendre du dehors, mais on n'avait pas la tête à ce genre de détail. De toute manière, les Italiens ne sont pas réputés pour leur discrétion.

J'observais Sam à la manière d'une entomologiste. Tout ce que je redécouvrais de lui m'épatait. Sa façon de dormir, à la fois paisible et virile, rien à voir avec celle de Lorenz, qui dort comme un enfant. Il s'enroule sur lui-même, genoux sous le menton, la tête enfouie sous le drap. Sam dort comme un homme, dans son sommeil, il garde une force mâle, de prédateur supérieur. Il est couché sur le dos, les bras en croix, son visage est serein. Il ne sursaute pas comme moi au moindre bruit, n'a jamais un geste brusque. Il se réveille lentement, il sourit. Il sourit paupières fermées. Je devine ses yeux sous les membranes bleutées, deux pastilles de menthe claire qui ne demandent qu'à fondre.

— Sam, qu'est-ce que tu vois en ce moment ?

— Je vois un petit triangle. Le triangle sacré des amours éternelles. *L'Origine du monde* de Courbet. Versant munichois.

— Sam ! Arrête de faire l'idiot. Qu'est-ce que tu vois en vrai ?

— Je vois tes pensées. Toutes tes pensées. Même que je suis en train de les filmer. Je filme ta conscience et tes envies secrètes.

— Et j'ai envie de quoi, là ?

— Tu as envie de me faire un enfant.

Et on a fait un enfant. On a pris tout notre temps, on s'est appliqués. On a décidé que cette fois, ce serait une petite fille. Une poupée aux doigts de stalactites. Une brune aux yeux verts. Je fais le bleu et toi le jaune. On mélange bien et on saupoudre de doré autour de l'iris. Elle aura une tête en O majuscule et une bouche entre parenthèses. Deux astérisques à la place des mirettes. Des taches de suspension plein les joues, un tréma pour le nez. Elle aura une taille en X et un Y au-dessous du nombril. Ce sera notre petite fille entre guillemets. Un chef-d'œuvre. Et on a ri. Notre petite fille serait gaie.

C'était comme si on n'avait jamais été séparés. Ça nous paraissait normal, d'être à Milan, sur un matelas parsemé d'aiguilles de pin, comme c'était normal d'être dans un palace à Atlanta. Et on crevait également de chaud.

— Sauf qu'en Géorgie, il a dit, on avait la clim.

À Milan, c'est vrai qu'on dégoulinait aussi dans la chambre. Et il n'y avait pas d'Éthiopien pour nous servir du champagne frappé.

— Tu te rappelles Najid, mon amour ?

Le matin du 5 août, il était inconsolable. Aucun client ne l'avait jamais traité comme nous. Il avait dit qu'on était comme sa famille.

— Des parents lointains, il avait ajouté. Comme tous les miens.

Avant de partir, on avait eu un gros cafard tous les trois. On avait fait une petite mêlée dans la chambre de Sam en se tenant chacun par l'épaule. Il avait récité une prière, exigé qu'on répète les mots après lui. Ses paroles résonnent encore dans mon esprit. « Nous nous reverrons un jour ou l'autre si Allah le veut. » J'entends encore le cri de Sam :

— Mais ALLAH LE VEUT, mon frère !

Le musulman n'était pas convaincu. Il a quand même ajouté : « J'espère. Qu'il en soit fait selon Sa volonté. *Allah akbar !* »

Il m'a glissé une noix dans la main. Sam a fait remarquer que la superstition était contraire à la religion. Que, pour les chrétiens, toucher du bois constituait même un blasphème. Najid a esquissé un sourire penaud et malicieux.

— Allah ne m'en voudra pas si j'essaie de mettre toutes les chances de votre côté, il a dit.

Sam a reconnu qu'il avait raison et que, si c'était vrai, Allah était son ami pour la vie.

— Mon pote *akbar*, il a gloussé.

Najid s'est frappé les cuisses. Il appréciait sa vision joviale de l'islam. Pour une fois qu'on ne lui clouait pas le bec avec sa dangerosité !

— Najid doit être tourné vers La Mecque, à cette heure-ci, j'ai dit.

Il nous avait montré sa direction du *Westin*. La Mecque était située à la tête de notre lit. Allah avait une belle vue sur nos ébats.

— On va finir par parcourir le monde entier, a dit Sam. Que dirais-tu de New York, la prochaine fois ?

J'ai répondu que ça m'allait, j'ai toujours adoré New York. Et puis, l'essentiel, c'était qu'il y ait une prochaine fois, pas vrai ?

Je lui ai raconté la pièce américaine dont j'ai oublié le nom. Quelque chose comme « Même heure, l'année prochaine ». C'est l'histoire d'un couple d'amants, chacun est marié de son côté et, comme Sam et moi, bien marié. Ils ne rompent pas avec leur conjoint, ils se retrouvent un week-end par an dans un hôtel de Manhattan pendant trente ans. Ils ont passé un pacte secret, on s'aimera jusqu'à la mort, juré craché. Entre-temps, ils vivent normalement : ils fêtent Noël, les anniversaires et Thanksgiving en famille. Dans une scène, la femme arrive au rendez-vous enceinte de six mois. L'homme lui caresse le ventre. Ils se montrent des photos de leurs enfants. Bref, ils continuent chacun leur petit train, n'empêche, ils se consacrent une nuit par an à l'insu de tous. Toujours à la même date, dans le même hôtel et dans la même chambre. Au fil du temps, on voit le papier peint des murs changer de motifs. La salle de bains se modernise. Et eux vieillissent d'acte en acte jusqu'à ce qu'il n'y en ait plus qu'un au rendez-vous. On suppose que l'autre est mort.

— C'est sinistre, a fait Sam.

— Je trouve ça romantique, au contraire.

— Mais Anna, on ne peut pas se satisfaire d'une nuit sur 365. L'amour exige davantage de disponibilité.

— Trente nuits féeriques, c'est pas rien. Tout le monde ne les a pas.

— C'est du théâtre, ma chérie. En vérité, se rencontrer n'est pas le tout, il faut aussi se rencontrer au bon moment.

— Alors c'est non pour une nuit par an ? j'ai demandé.

— Il faut que je réponde tout de suite ?

Il a fendu un comprimé en deux et l'a avalé.

— C'est du Xanax, il a précisé. Un anxiolytique.

— Sam, tu ne devrais pas…

— Je ne prends que des demis. De toute façon, je ne peux pas faire autrement.

Il m'a décrit ses crises de panique paroxystiques. Il ne supporte plus les endroits fermés. Son bureau, les transports en commun, les salles de cinéma et même les restaurants. La semaine dernière, il a réclamé l'addition aux hors-d'œuvre.

— Je ne pouvais plus respirer, Anna. C'était dingue. J'ai galopé jusqu'à chez moi en petites foulées.

Ça inquiète Betty. Elle lui a conseillé de consulter un psy. Il ne veut pas en entendre parler. Il l'a surprise en train d'éplucher son agenda. Est-ce qu'elle se doute, pour nous deux ? Il prétend que non. Moi, je crois que les femmes sentent les choses. Elles ont du flair pour repérer les conduites étranges chez la personne aimée. Les hommes, moins. À part ceux du genre de Lorenz. J'ai confié à Sam ma conversation avec Magda.

— Elle en rajoute sur Lorenz, mais c'est vrai qu'il est un peu aseptisé. Je me demande s'il n'aurait pas des tocs.

Ça a fait sourire Sam.

— Depuis le temps que tu me bassinais avec ses qualités, il a dit, je finissais par croire que c'était vraiment un saint. J'ai failli te suggérer d'en faire un vitrail.

Je lui ai avoué que, ces derniers temps, je m'ennuyais à la maison. Lorenz ne prend aucune initiative. Même pour le choix d'un film. C'est toujours moi qui dois proposer. Il n'a pas d'envies précises. Quand je l'interroge, il répond : « Ce qui te fait plaisir me fait plaisir. » Ce n'est pas la question. Ce que je cherche, c'est son plaisir à lui. Il ne comprend pas la différence. Quand j'insiste, il se renferme. Je lui demande : « Lorenz, à quoi tu penses ? » Il répond : « À rien. » Comment c'est possible ? À moins d'avoir la tête vide, on pense toujours à quelque chose, non ? J'avoue, dans ces cas-là, j'ai tendance à le harceler. Je le pousse dans ses retranchements. Il s'enfonce encore davantage dans son mutisme. Ça me met dans des rages incroyables. Sam a pris sa défense. Solidarité masculine, je suppose. Il a argumenté sur le côté casse-pieds des femmes.

— Vous vous plaignez sans arrêt, vous n'êtes jamais satisfaites.

J'ai répondu que c'était faux.

— Vous posez trop de questions. De vraies mitraillettes. Vous voulez tout savoir. Connaître les détails les plus infimes. Des trucs sans intérêt.

— C'est parce que vous êtes autistes. Il faut vous arracher les informations, vous tirer sans arrêt les vers du nez, c'est usant.

— Ça sert à quoi de préciser qu'on a raté le bus ou qu'on s'est fait contrôler par un flic ? On ne vous en demande pas autant.

— C'est parce que vous vous en fichez, c'est de l'égoïsme.

— Tout de suite les grands mots ! Ouais, on s'en fout, mais c'est parce que c'est pas important. Et on a droit à son jardin secret, non ? On ne gagne rien à tout savoir de l'autre.

— Mais on ne fait pas ça par jalousie ! C'est de la curiosité.

— Alors vous êtes trop curieuses. C'est soûlant.

— Je te soûle, Sam ?

Il a grimacé.

— Tu me fais marrer Anna… Tu m'as fait décrire tout mon appart pièce par pièce, il a presque fallu que je te donne le métrage exact… Je t'ai détaillé la déco, la couleur des canapés, la forme de la table, la marque du frigo… Tu m'as demandé comment était mon lit, le motif des draps.

— OK, OK… j'ai gémi. C'était pour savoir dans quel univers tu vis, pour t'imaginer…

— Pour m'imaginer faisant quoi ? En quoi ça t'aide, Anna ?

Un point pour lui. Ça me ravage, au contraire. Il a perçu ma tristesse, caressé ma main.

— Tu vois bien qu'il vaut parfois mieux ignorer certains détails. L'amour exige des amnisties mutuelles.

J'ai acquiescé avec une conviction solennelle.

— Je te promets d'arrêter les questions, j'ai dit. N'empêche, avoue qu'on doit prendre toutes les décisions et que vous n'êtes pas fichus de vous décider.

— Je te rappelle que c'est moi qui ai choisi ce boui-boui de Milan.

— Justement ! On voit le résultat !

— Nous y voilà ! il a exulté. On aborde la case reproches et récriminations. Comme dans les vrais couples.

La bonne nouvelle, j'ai songé, c'est que Sam et moi, on était un vrai couple.

21

SAM

Le soir de mon retour de Milan, j'avais un mal de crâne infernal. Ma tête était près d'exploser, j'ai avalé un max d'Advil mélangé à une demi-bouteille de bourbon. Un soi-disant Van Winkle trafiqué par les Ritals. Un cru de mes couilles. Douze ans de réserve dans un paquet de Barilla. Je me foutais de tout. Je voulais que la douleur s'arrête, point barre.

Quand le téléphone a sonné, j'étais totalement fait. J'ai décroché, c'était Anna.

— Sam ?

J'avais beau être dans les vapes, j'ai tout de suite pigé qu'elle n'était pas dans son assiette. Il y a eu un silence au bout du fil. Je sentais les pulsations dans mes tempes. Une horloge de gare du IIIe Reich.

— Ça va ? j'ai murmuré.

Elle a répondu « oui ».

C'était un tout petit « oui ». À peine un souffle.

— Anna ?

— Oui ?

Elle avait une voix triste et fragile. J'ai pris une grande inspiration et aucun mot n'est sorti de ma bouche. Je n'avais plus de cordes vocales. Un silence lourd s'est installé sur la ligne. Les unités résonnaient comme des bottes sur un quai de triage. J'ai eu une pensée furtive pour les fantômes de

Dachau. On était revenus à la case départ. La case chacun chez soi. Je l'écoutais respirer au bout de la ligne en me demandant si c'était bien ça qu'on voulait, elle et moi. Des coups de fil secrets et des conversations oppressantes et fébriles ? Mais qu'est-ce qu'on avait d'autre à espérer ?

Je ne quitterais jamais Betty et elle en pinçait pour Lorenz, même si, à Milan, elle avait eu l'air un peu moins emballée à son sujet. Elle avait fait des petites remarques, balancé deux trois critiques un poil vachardes sur sa pomme. Apparemment, il est trop propre sur lui et n'aime pas trop boire ni bouffer. La comparaison semblait à mon avantage. Bref, le prince charmant était tombé de son cheval. Sur le coup, ça m'avait botté. Sa perfection commençait à me gonfler. Et au bout d'un moment, j'ai eu les foies. Qu'est-ce qui se passerait si Anna décidait de le plaquer ? j'ai songé. Je ne me voyais pas passer ma vie sur le tracé rouge. Paris-Munich, Munich-Paris. J'avais décidé d'en avoir le cœur net.

— Anna, je lui ai demandé à Milan au téléphone, tu as des doutes sur tes sentiments à son égard ?

— Des doutes, non, elle a fait.

— Alors quoi ?

— Alors rien.

Ça me gave quand une fille répond comme ça. De manière brève mais avec un air entendu. Style « Je t'en dis pas plus, mais on s'est compris ». Pour ça, elles sont fortiches. C'est signe qu'il y a un loup derrière. Et j'ai senti que celui-là m'avait dans le collimateur. Il me guettait en se léchant les babines. J'ai eu une petite suée. En même temps, comme toutes les femmes, elle est versatile. Dix minutes après, elle regardait les montres de luxe dans une vitrine. Elle a dit que c'était le dada de Lorenz. Si j'en juge par sa collection à elle, il doit aussi lui en offrir pas mal. C'est con, j'ai pensé, elle préfère les Swatch.

— Un mec qui se plante dans ses cadeaux, j'ai gloussé, il serait pas un peu branque ?

Je suis un salaud. Quand je m'y mets, je deviens salement méchant. Elle ne l'a pas bien pris. Pourtant, cinq minutes avant, elle était en train de le débiner. Tout à coup, elle s'est mise à faire l'éloge de sa générosité.

— Lorenz me couvre de bijoux, elle a dit, sur un petit ton triomphal insupportable. Et il a un goût du tonnerre pour choisir les bonnes montures.

Elle a exhibé une bagouze qui devait coûter le prix d'un réfrigérateur. Je parle des engins américains en acier à deux portes, vingt-six compartiments, congélo six étoiles, boîtes à œufs, robinet de flotte et de Coca à température adéquate, et bien sûr distributeur de glaçons. Avec option petits cubes pour les Martini *on the rocks* et glace pilée pour les margaritas. La grande classe.

J'ai observé le cabochon bleu, il était perché sur un promontoire en platine gondolé. Ça faisait un brin pompeux.

— C'est un saphir de cinq carats, elle a précisé.

J'ai sorti mentalement ma calculette. Un carat correspondant à un gramme, elle se pâmait pour cinq malheureux grammes de caillou bleu.

J'ai trouvé ça un poil léger. Dans la foulée, elle m'a fait l'inventaire complet des bracelets qu'il lui avait dénichés, rien que des pièces uniques et originales, sorties de l'imagination des créateurs les plus balèzes.

— Lorenz ne prend pas mes cadeaux à la légère, elle a dit. Il passe des mois à chercher le bon.

J'ai songé qu'à part des bouquins, je ne lui avais jamais rien offert. Je lui ai demandé pardon. Elle a souri.

— Sam, tu m'as fait le plus beau cadeau du monde.

— Lequel ?

— Toi.

Là-dessus, elle m'a roulé le plus beau patin du monde. Et on n'a plus évoqué une seule fois de sujets qui fâchent. On n'a presque pas quitté notre hôtel miteux. Côté baise, on a sorti le grand jeu. Je l'ai fait valser de cent manières différentes, on a même expérimenté la capote. C'est elle qui y tenait. On était passés devant un sex-shop, elle avait repéré des préservatifs à picots.

— Sam, les picots, ça sert à quoi ?

Je n'en avais aucune idée.

— Chiche qu'on essaie, elle avait gloussé.

Comme je suis toujours partant pour l'aventure, j'avais dit « OK ».

À Atlanta, on s'était posé la question au sujet des capotes. Est-ce qu'on devait en mettre ou pas ? Avant elle, j'en décachetais une d'emblée. Mais je ne sais pas pourquoi, avec Anna, dès notre première nuit au *Westin*, je n'étais pas pour. L'idée d'enfiler du latex me révulsait. J'avais jamais éprouvé ce genre de dilemme avec une fille. J'ai eu une vague pensée pour le Sida que j'ai aussitôt balayée. Je ne craignais pas de la contaminer et, en dix ans, elle m'avait confié n'avoir jamais trompé Lorenz. Je lui ai quand même demandé si elle avait des doutes en ce qui le concernait. Elle a dit « Non. Il est fidèle ». La discussion n'avait pas duré plus de dix secondes. On avait décidé de s'aimer sans se protéger. Dans tous les sens du terme. J'ai beau savoir qu'on ne doit jamais croire quelqu'un sur parole, surtout quelqu'un qu'on ne connaît pas, dans le cas d'Anna, j'ai pas réussi à me raisonner. J'arrivais pas à mettre une barrière entre nous deux. J'emmerde ceux qui penseront qu'on a eu du bol. Je leur réponds « Tant mieux ».

La capote de Milan, c'était juste pour le fun. Elle voulait expérimenter les picots. « Va pour les picots », j'ai fait.

On n'est jamais allés au bout de l'affaire. Elle a buté sur le premier obstacle. Le passage de mon engin dans le goulet. J'étais pourtant en pleine forme. Mais elle s'est emberlificotée au déroulage. Elle ne supportait pas la sensation sur ses doigts. Les parois étaient lubrifiées, elle a trouvé ça dégueulasse.

— Ça va, Anna, j'ai gloussé. On te demande pas de la bouffer.

Elle a émis un gémissement écœuré.

— J'ai l'impression de toucher une limace, elle a fait.

Elle avait les pupilles dilatées. On aurait dit deux petits boutons de cuir. J'ai réalisé qu'elle n'avait jamais utilisé de capote. Je lui en ai fait la remarque. Elle a avoué que c'était la vérité. Elle n'avait pas eu des masses de partenaires dans sa vie et elle était restée longtemps avec chacun d'eux. Je lui ai signifié de se magner un peu le train. Je commençais à faiblir. Elle a reluqué mon sexe avec mépris et elle a pouffé.

— Sam, s'il te plaît, fais un effort.

Elle en avait de bonnes !

Les femmes ne sont décidément pas fortiches en mécanique. Elles s'imaginent quoi ? Que c'est fastoche d'escalader l'Everest pendant qu'elles se la coulent douce sur le tire-fesses ? On n'est pas des taureaux de combat, que je sache. Les Espingouins ne s'en vantent pas, mais les bestiaux flamboyants des arènes sont tous puceaux. On les tient à l'écart des femelles jusqu'à ce qu'ils atteignent 800 kilos. Il paraît que l'amour les embourgeoiserait. Après, ils seraient moins chauds pour la castagne. Avant de les lâcher sur la piste, on leur fait renifler de la paille imprégnée de pisse. La production d'une vache en chaleur. Et ces connauds déboulent à bloc sous les « olé ».

Pour ça, Betty ne vaut pas mieux. Elle ne pige pas que les mecs ne bandent pas sur commande.

Elle met des plombes à venir se coucher. Elle téléphone à ses copines, et que Machine a raconté à Machine que Machine a dit ci de Machine. Entre deux expirations, elle braille : « Sam, prépare-toi ! » Moi, ça me met *illico* en appétit. Je l'entends foncer dans la salle de bains. Et que je me démaquille les cils, et que je me tartine de beurre karité, et que je cherche une culotte affriolante. J'entends des grincements de tiroirs et des soupirs en cascade « Merde, merde, merde ». Le temps qu'elle radine, j'ai le drapeau en berne. Après ça, elle se plaint.

— Si je ne te fais pas plus d'effet que ça, elle pleurniche, c'était bien la peine que je me décarcasse.

Il y a des jours, j'ai envie de lui beugler :

— Je voudrais bien t'y voir, tiens ! Mais vas-y, ma vieille, prends ton piolet et va arrimer tes piquets dans la roche.

La tronche qu'elle tirerait !

— Sam, tu fais quoi ? m'a demandé Anna.

— Je suis en train de traverser la Manche à la nage, j'ai maugréé.

Ça a au moins eu le mérite de la faire marrer.

J'ai allumé une énième clope. J'entendais un grésillement au bout de la ligne. Un couinement râpeux. Elle devait être en train de se limer les ongles. Elle s'en était pété un à Milan en extirpant la capote de son sachet.

— Sam, j'ai envie de toi.

Mauvaise pioche, j'étais ramollo. C'était le whisky. Et la crainte de l'arrivée imminente de Betty. Je louchais vers la porte. Coup de bol, de l'entrée, je peux entendre monter l'ascenseur. Je me suis resservi un godet. Betty allait renifler mon haleine et j'allais avoir droit à l'auberge du cul tourné. Tant mieux.

— Faut que je raccroche, j'ai dit.

Anna a soupiré « Moi aussi ». Son lascar devait être sur le point de rappliquer. Sans le savoir, ils s'étaient accordés, Betty et lui. Je m'interroge sur le terme « sans le savoir ». Est-ce qu'ils n'auraient pas comme un doute ? Betty se comporte normalement, elle n'a pas l'air plus préoccupée que d'ordinaire, mais je la sens un poil nerveuse, depuis mon retour d'Atlanta. Elle a des expressions bizarres et des attitudes de fouine inhabituelles. Je l'ai surprise en train de retourner mes frocs sur l'envers avant de les enfourner dans la machine à laver. Elle a prétendu que c'était à cause des plis blancs sur mes jeans. Avant les Jeux, elle ne s'était jamais préoccupée des plis blancs. Ce qui m'a inquiété, c'est qu'elle avait déroulé les poches au maximum. Elle a dit que je laissais toujours traîner des billets. L'autre jour, elle m'a tendu un dollar bouloché avec une mine victorieuse.

— Tiens, Sam, elle a dit, profites-en, c'est de l'argent propre.

Je ne suis pas parano, mais son ton m'a flanqué des frissons dans le bas du dos. Je l'ai serrée dans mes bras.

— T'es une parfaite femme d'intérieur ! j'ai dit.

— Tu viendrais pas faire un petit tour dans mon intérieur ? elle a répondu avec une intonation grivoise.

J'adore quand elle me provoque. J'ai signalé à Anna que c'était le moment de raccrocher. Elle a fait « yep ». Ça veut dire « oui », en allemand, et je me suis enfourné une nouvelle rasade d'alcool de maïs frelaté. Au moins, j'allais pouvoir comater jusqu'au retour de Betty. J'ai glissé un CD d'Aznavour dans la gueule horizontale de mon lecteur audio et sélectionné la chanson douze : *Nous nous reverrons un jour ou l'autre*.

Je me suis dit que j'étais maso. Le Vieux Charles s'époumonait.

« Nous nous reverrons un jour ou l'autre
Si vous y tenez autant que moi
Prenons rendez-vous
Un jour n'importe où
Je promets que j'y serai sans faute »

Vu mon état, je bidouillais un peu l'air, n'empêche, j'étais d'équerre pour les paroles. J'ai songé *Charlot, t'es vraiment le taulier*.

22

ANNA

Sam a changé. Au téléphone, il est moins bavard, plus pressé de raccrocher.

— Salut mon amour.

— Je te dérange ?

— Non, non.

Il a répondu trop vite. Et deux fois « non ». Ce n'est jamais bon signe.

— Tu fais quoi ? je demande.

— Rien d'exaltant. Je remplis de la paperasse. Je compte mes heures sup. En ce moment, j'arrête pas. Sans parler des conneries du comité d'entreprise.

— C'est-à-dire ?

— Le cirque habituel des coffrets de Noël. Il faut qu'on se décide deux mois à l'avance. Ils doivent passer leurs commandes aux fournisseurs.

— Ils proposent quoi dans les coffrets ?

— Comme d'hab, soit un assortiment de foies gras, oie, canard, et confitures de coing, soit des bouteilles d'alcool… Hé, ho ! Anna… ça t'intéresse vraiment ?

Il s'interrompt. Je sais à quoi il pense. Il pense qu'à part ça, on n'a pas grand-chose à se raconter. Autant faire l'inventaire complet des coffrets.

— Si j'avais des mômes, je serais drôlement emmerdé, il reprend, ils ont collé une de ces listes !

C'est la preuve qu'il m'a reçue cinq sur cinq. Je sens des larmes monter. Est-ce qu'on est condamnés à échanger des banalités ? Pendant combien de temps va-t-on s'en contenter ? Est-ce qu'il se fait la même réflexion ? Est-ce que ça le rend également triste ? Je prends une voix faussement enthousiaste.

— Il y a quoi pour les enfants ?

— C'est classé par tranche d'âge. Les petits ont droit à des peluches et à des Lego, pour les ados, il y a des montres et des bons d'achat pour des bouquins.

— T'as qu'à les prendre pour tes neveux et tes nièces.

Je ne sais pas s'il en a. On n'a jamais parlé de nos familles. Je sais qu'il a une sœur qu'il adore. Muriel. Et qu'elle est mariée à un Sicilien.

— Ça marche pas pour les gosses de ma frangine, il dit.

Muriel a des enfants.

— Garçons ou filles ?

— Les deux, mon adjudant.

— Ils s'appellent comment ?

— Antoine et Marie.

— C'est joli. Est-ce qu'ils te ressemblent ?

— Je ne les vois pas beaucoup. Antoine a mes yeux verts et Marie, le teint mat de mon beauf.

— Comment il s'appelle ?

— Rosario.

C'est effectivement très sicilien, comme prénom. Sam ajoute qu'il est catho.

— Quand on s'appelle rosaire, forcément !

— Et qu'on prénomme sa fille Marie !

— Est-ce que ta sœur est heureuse ?

— Tu veux que je te dise ? Elle a décroché le meilleur mari du monde ! Et le meilleur père. C'est aussi mon meilleur ami.

Je les imagine Rosario et lui le dimanche à l'apéritif. Les enfants chipent des olives, les belles-sœurs s'activent à la cuisine. Muriel doit mitonner des pâtes et des osso-buco à tomber. Sam m'a parlé de sa passion pour l'osso-buco. Je les vois mettre la table tous les six, composer la chaîne de l'amour avec les assiettes et les couverts. « Sam, ta place est là. Marie, mets-toi à côté de Tonton. Rosario, apporte le pain. » Tout le monde babille gaiement. On parle des parents et des prochaines vacances. Est-ce que les belles-sœurs s'apprécient ?

— Anna, tu poses trop de questions. On avait dit qu'on éviterait le sujet de nos familles.

— OK. On n'a qu'à revenir aux coffrets de Noël. Tu vas choisir lequel ?

Ma voix est un brin agressive. Ça ne lui échappe pas. J'imagine que c'est Betty qui tranche. Les hommes sont infoutus de se décider.

— Anna, il soupire, t'as pas d'autres sujets de conversation ?

Il semble ennuyé. Je lui dis que s'il a des doutes sur nous, autant me l'avouer. Il gémit que ce n'est hélas pas le cas. Je relève le « hélas ».

— Je t'adore toujours autant, mon moineau, il précise. C'est juste que la situation est de moins en moins tenable.

— Ça nous fait un point commun supplémentaire, je réponds.

— Tu vas faire quoi, aujourd'hui ?

— J'ai rendez-vous avec Magda.

— Tu vas lui parler de nous ?

— Et toi, tu parles de moi à tes amis ?

Il hésite.

— Ça m'arrive, il dit.

— À qui ?

— À Marco.

— Le Marco du *Westin* ?

Il rit au souvenir de la finale olympique de Donovan Bailey.

— Ma pauvre chérie. Tu sais que tu peux revoir sa course, ils ont sorti une compil des JO en cassette vidéo.

— Sam, tu devrais avoir honte.

— J'ai honte. Je mérite une médaille pour ma lâcheté.

Je songe *Oui. La médaille d'or*. Heureusement, le Marco ne s'était pas manifesté pour la finale du 200 mètres féminin. Des jours que Sam me rebattait les oreilles avec Marie-José Pérec.

— C'est la meilleure du monde, il répétait. Tu vas voir ce que tu vas voir.

Le 29 juillet, on s'était réfugiés au *Old South* pour la course de la Française. On avait sympathisé avec le patron. Alan Trump. Avec lui c'était champagne à volonté. Surtout, il tenait la meilleure table de *soul food* d'Atlanta. La célèbre nourriture de l'âme. Une cuisine élaborée par les Afro-Américains du Sud, à base de riz et de maïs. Sam avait tendance à rechigner devant son assiette, il gémissait que c'était bon pour les esclaves. Il avait raison. Avant la guerre de Sécession, elle constituait l'essentiel de leurs repas. C'étaient les aliments les moins chers, composés des légumes jetables de la plantation. Des betteraves et des navets mélangés à des abats.

— Alan, implorait Sam, ta *soul food* me débecte, t'aurais pas un bon vieux hamburger ?

Alan secouait la tête et faisait défiler les plats sous son nez. Il lui donnait même les recettes.

— Tu prends les bas morceaux du porc, les oreilles et les joues, tu ajoutes la peau et les tripes, tu fais revenir des petits oignons dans un fond de saindoux, tu incorpores l'intestin grêle, une poignée de manioc, du thym et du laurier, tu touilles et tu laisses mijoter.

Sam battait les bras en poussant de grands beurk.

— Arrête, vieux, tu vas me faire vomir. J'ai jamais rien vu de plus dégueulasse de ma vie.

— Te plains pas, au siècle dernier, on cuisinait aussi les écureuils et les ratons laveurs !

— Ma grand-mère faisait des ragoûts d'opossum du tonnerre, avait ajouté un client.

En matière culinaire, Sam n'a strictement aucune notion de ce qui est bon. Par exemple, il a des préjugés idiots sur la cuisine allemande. Il prétend qu'on ne mange que du chou et des saucisses, rien n'est plus faux. On raffole du *Saumagen*, la panse de porc farcie, de la *badische Schneckensuppe*, la soupe d'escargots, et du *Handkäse mit Musik*, un fromage de lait caillé servi dans une sauce vinaigre. On accompagne ces mets avec toute une variété de pains succulents, j'ai un faible pour les pains noirs, le *Schwarzbrot* et le *Pumpernickel* au seigle de Westphalie. Alan reconnaît la finesse de notre gastronomie.

— Te bile pas Anna, les Français se croient supérieurs à tout le monde. Dans tous les domaines.

— C'est vrai, j'ai dit en fixant Sam, c'est un défaut que je leur ai découvert à Atlanta.

— Tu connais beaucoup de Français ? a ironisé Sam.

Alan et moi, on s'est regardés et on a piqué un fou rire, sous-entendu un exemplaire nous suffisait. Sam l'a pris de travers.

— Anna, a gloussé Alan, j'ai oublié de te dire que les Français sont également très susceptibles.

Du coup, j'ai eu droit à la finale du 200 mètres féminin à la grimace. Sam a filé au bout du comptoir avec son verre et fixé l'écran avec un air buté. Heureusement, Marie-José Pérec lui a rendu le sourire. Trois jours auparavant, elle avait déjà remporté le 400 et, ce soir-là, elle a réussi le doublé. Sam était survolté.

— 22"07 ! il a hurlé. La meilleure performance mondiale de l'année ! Bravo Marie-Jo !

Il s'est mis à brailler *La Marseillaise*, autour, les clients le toisaient avec hargne. C'étaient tous des supporters de Merlene Ottey.

— Ouais, comme par hasard, avait grondé Sam. Si les gringos aimaient les Blacks, ça se saurait.

Il avait dit ça dans un anglais parfait, pour une fois. Ça a failli dégénérer. Alan s'était révélé un diplomate hors pair. D'autant que Sam en remettait avec Michael Johnson.

— Lui aussi a réalisé le doublé, sauf que monsieur est américain. Donc monsieur a droit à l'admiration générale !

Alan a proposé de porter un toast aux deux champions du siècle, Marie-Jo et Michael.

— Les Français sont aussi très chauvins, il m'a soufflé en douce.

Sam louchait sur nous, j'ai manqué m'étouffer.

— Vous parlez de quoi ?

— De Lars Riedel, a répondu Alan.

— C'est qui ?

— L'Allemand qui a remporté le lancer du disque !

Je n'étais même pas au courant. Sam a esquissé une moue écœurée détestable. Les yeux d'Alan m'ont signifié que je n'étais pas au bout de mes peines. Et le fait est. La dernière nuit au *Westin*, il m'avait fait le compte des médailles françaises en fanfaronnant : 37, dont 15 en or.

— Tu te rends compte, Anna !

— Les Allemands en ont raflé davantage, j'avais remarqué.

— Pas dans les épreuves reines !

Il avait imité les lanceurs de disque en se gondolant.

— On va pas s'extasier sur ces balourds de l'Antiquité, oui ou merde ? David Douillet et Jean Galfione ont quand même une autre gueule.

Il faut toujours qu'il ait le dernier mot. Par certains côtés, il m'agace. Il se braque facilement. Il peut se verrouiller de l'intérieur pour trois fois rien. Ses yeux prennent la couleur de la banquise, des hermines traversent ses pupilles. Il enfile ses Ray Ban et les verres se couvrent de buée. Quand il me touche, c'est comme s'il avait de la neige carbonique au bout des doigts. Et ses mains ont l'air de tentacules de pieuvre morte. J'ai beau les lui serrer de toutes mes forces, il les laisse molles, exprès. Ou alors, il prend des expressions indifférentes et il m'ignore. À Atlanta, quand on était en froid, il ralentissait son allure, il marchait un mètre derrière moi, avec l'air de suivre un corbillard. Ça ne durait jamais longtemps mais le temps nous était compté, on n'avait pas besoin de ça. Au *Westin*, je le charriais à ce sujet.

— Quand tu boudes, tu ressembles à un champignon vénéneux. Si tu avais des boutons, tu serais une amanite phalloïde.

Ça l'avait incroyablement vexé. Je m'étais demandé si Alan Trump n'aurait pas dû ajouter le manque d'humour à la liste des défauts français. Ces derniers jours, il m'arrive de douter. Est-ce que c'est vraiment un homme pour moi ? Est-ce que les Français sont compatibles avec les Allemands ? Il a des mots durs à notre propos, des expressions franchement insultantes.

— C'est maladif chez les *Französisch*, prétend Magda. L'Occupation leur est restée sur l'estomac.

— Remarque, il y a un peu de quoi ! je plaide.

— Ils n'avaient qu'à se défendre ! elle gronde. La Wehrmacht est entrée chez eux comme dans une motte de beurre. En 40, ils ont tous fichu le camp la queue entre les jambes ! T'as entendu parler du gouvernement de Vichy ? Tu veux que je te dise ? C'est un peuple de lâches.

Comme elle a Lorenz dans le collimateur, elle ajoute que ça n'a rien à voir avec Sam.

— D'ailleurs, je suis sûre qu'il est du même avis que moi ! elle conclut.

Je ne sais pas, on évite le sujct.

Donc, Sam se confie à Marco comme moi à Magda.

— Tu lui racontes tout ? je demande.

— Le principal.

— Il en pense quoi ?

— Il est pas pour.

De quoi il se mêle, celui-là ? S'il allait influencer Sam dans le mauvais sens ! Je lui fais part de ma crainte. Il rit.

— Aucune chance, chérie. C'est loin d'être un modèle en la matière.

Il enchaîne sur les aventures de Marco.

— En ce moment, il dit, il en pince pour une grande courge danoise.

— Il te l'a présentée ?

— Je l'ai aperçue une fois ou deux. Elle a des pommettes de Mongole et des cernes jusqu'au bas des joues, un vrai koala.

— Jolie ?

— Ben elle est danoise. Elle est comme toutes les Nordiques.

— Tu peux préciser ?

— Elle est à deux étages, comme les bus londoniens et elle a un teint de navet !

— Sam, arrête ton cirque. Les Danoises sont des bombes.

— T'as raison, elles émettent des radiations. En plus, celle-là est rouquine. Mais rouquine rouquine. Style qui a survécu à un incendie de forêt. T'inquiète, c'est pas mon genre.

— Tu as un genre ?

— Oui. Toi.

— Qu'est-ce que tu aimes chez moi ?

— Tout.
— Mais qu'est-ce que tu aimes le plus ?
— T'es probablement la seule fille que je connaisse qui sache faire chauffer des saucisses de hot dog sans qu'elles éclatent !
— SAM !
— Quoi ? Je me trompe ?
— Ton Marco est marié ?
— Sa femme est enceinte jusqu'au cou.
— C'est déloyal !
— Dis plutôt que c'est dégueulasse !
Il se tait subitement. Est-ce qu'il se juge dégueulasse lui aussi ? Et moi, est-ce que je le suis ? On n'approfondit pas la question.
— Tu connais sa femme ?
— Oui.
— Elle s'appelle comment ?
— Angela.
— Elle est belle ?
— Ma parole, faut que je te décrive toutes les nanas que je fréquente !
— Sam, s'il te plaît.
— Elle est large comme un vaisselier.
— C'est parce qu'elle attend un bébé !
— Non, elle a toujours eu un cul XXL. Une vraie statue de saindoux. Même ses bourrelets ont des bourrelets.
— T'es dur.
— Dis plutôt réaliste. J'ajoute qu'elle a trois mentons. Mais là, c'est vrai, c'est depuis sa grossesse.
— Tu l'aimes bien ?
— Mouais. C'est juste dommage qu'elle n'ait pas assez de lèvres pour fermer sa gueule de temps en temps.
— Ça, c'est macho !
— Oui madame. Mais elle est chiante avec mon pote.

— C'est normal s'il la trompe sans arrêt.
— La jalousie n'a jamais fait raccourcir les cornes !
— Un point pour toi. Est-ce que Marco tient à elle ?
— Il l'adore. C'est sa femme. C'est un Rital.
— Et alors ?
— Ben les Ritals sont un peu cons. Chez eux, même les communistes vont à la messe.

Il me fait rire. Je retire mentalement le manque d'humour de ma liste de défauts français. De plus, sa façon de parler des femmes de son entourage me convient tout à fait. Il est plus discret au sujet de Betty. Si je n'avais pas vu sa photo en maillot au *Westin*, je n'aurais aucune idée de son physique.

— Raconte-moi ta journée. T'as fait quoi ? T'as vu qui ? il me demande.
— Rien ni personne. La routine. Hier, j'ai fait un plein au supermarché. Tu veux que je te décrive le contenu de mon Caddie ?

Il gémit « S'il te plaît, épargne-moi ça ». Sauf que je n'ai rien d'autre à lui raconter. C'est un drame. Il faudrait continuer à nourrir notre passion, mais on n'y parvient pas à distance. On a fait le tour de nos souvenirs d'Atlanta et de Milan. Deux radoteurs enfermés dans un minuscule espace-temps : un mois d'affilée plus un minuscule week-end, on ne va pas tarder à manquer d'air. Les barreaux commencent à céder. Depuis quelques jours, on a tendance à s'ennuyer au présent. Parler de banalités n'arrange rien.

— Anna, il t'est bien arrivé des trucs nouveaux.
— Rien de nouveau sous le soleil, mon amour.

Je récite mentalement l'Ecclésiaste.

Il y a un temps pour tout, et chaque chose sous le ciel a son heure :
Temps de naître et temps de mourir,
Temps de tuer, temps de guérir,

Temps de planter, temps de détruire,
Temps de bâtir, temps d'arracher,
Temps de gémir, temps de danser,
Temps de pleurer et temps de rire.
Temps d'assembler les blocs, temps de les disperser,
Temps d'aimer les baisers et temps de les maudire,
Temps de poursuivre un rêve ou de se l'interdire,
Temps d'aimer un objet, temps de le repousser.

— T'es là, Anna ?

— Oui. Il faut que j'y aille.

— Tu vas où ?

— Acheter des bricoles pour me faire belle. Des crèmes de soins.

— T'en as pas besoin.

C'est vrai que j'ai une belle peau. Quarante ans et zéro ride. Je ne fais rien de spécial. Je ne me tartine pas de potions magiques. Le matin, je pose une lichette d'émulsion à la rose sur mon visage. Une invention du docteur Hauschka. Un chimiste viennois très porté sur le naturel. J'en remets un doigt le soir et *basta*. Je suis également férue d'huiles essentielles, je les verse pures dans mon bain. Trois gouttes maximum. J'ai un faible pour le pamplemousse et le cédrat. Je ne porte pas de maquillage. Je me contente d'un peu de brillant sur les lèvres et, de temps en temps, j'applique un trait de khôl à l'intérieur de ma paupière inférieure. Je pleure cinq minutes mais je ne connais rien de plus efficace pour faire briller le regard. J'achète la vraie poudre, gris anthracite, originaire du Maroc. Sam apprécie mon petit côté brut, il n'aime pas les femmes sophistiquées. Les poupées qui s'allument la nuit. Il est plus réservé sur mes culottes montantes en coton bio. Il me rêve en dessous sexy. À Atlanta, il m'a montré des nuisettes en soie, j'ai dit « Pas question ». J'imagine que Betty marche dans la combine. Raison de plus pour rester ferme. Elle aime aussi les parfums capiteux. La valise de Sam empestait Guerlain. Je connais la méthode. La femme qui verse son flacon sur la pile de tee-shirts de son mari, histoire de marquer son territoire. Je ne vaux pas mieux. Le 5 août, j'ai vidé le mien sur les affaires de Sam. J'espère qu'elle a senti mon odeur de verveine. Sam en est fou. Le hic, c'est que la marque est introuvable à Paris. Je n'ai pas ce souci avec *Cool Water*. Chaque fois que je mets les pieds dans un grand magasin, je m'asperge de Davidoff. Ça fait bicher Magda. Elle trouve que ça sent l'homme, le vrai. Elle ajoute que c'est le contraire de *Monsieur*, de Chanel. Une petite vacherie à l'adresse de Lorenz.

Je cherche quelque chose d'exaltant à confier à Sam.

— Je n'ai plus de shampoing, je dis.

— *Mamma mia!* il répond. Je vais au moins échapper à ton obsession pour les tifs !

À Lennox, il avait mimé un infarctus chez Body Shop. Il ne comprenait pas que je puisse hésiter devant les rayonnages.

— Anna, je peux piger que tu prennes ton temps pour choisir une robe ! Mais pitié, pas un shampoing ! C'est tous les mêmes.

N'importe quelle femme qui s'est retrouvée devant un étalage de soins capillaires sait à quel point il a tort. Rien n'est plus différent d'un shampoing qu'un autre shampoing. Je mets qui que ce soit au défi de trouver ne serait-ce qu'un emballage avec écrit seulement le mot « shampoing ». Entre les compositions à bases neutres, les lotions à pH élevé, les réparateurs, les nourrissants, les volumateurs, les illuminateurs, les formules spéciales pour cheveux fins, épais, raides, bouclés, secs mais gras en racine, mous mais rebelles aux pointes, robustes mais cassants, lisses mais fourchus, etc. À moins d'avoir fait une thèse sur la question, bon courage. Un jour ou l'autre, il faudra aussi qu'on m'explique la différence entre la fibre brune et la blonde. Qu'est-ce que les spécialistes trafiquent exactement au niveau de leur mousse ? Est-ce que si je me lave la tête avec une crème pour rousse, je risque de flamber ? Sans parler des après-shampoings. Des conditionneurs démêlants, toute l'armada de nutri quelque chose qui renforcent le poil et le font briller. *Booster* de lumière. Éclat du cristal. Céramides lustrants. Et il faudrait qu'on se décide en trois minutes ? À Atlanta, j'ai fait part de ma perplexité à Sam, il est resté de marbre. Il a dit « Si on va par là, c'est pareil pour tout. Le dentifrice, les gels de douche, les crèmes pour la peau ». J'ai répondu que c'était bien pour ça qu'on y passait des après-midi entiers. Il a râlé que nous, les femmes, on était bien toutes les mêmes et que, de toute façon, on adorait ça. Traîner des plombes sous les néons.

— Après, vous vous plaignez d'avoir mauvaise mine ! T'as vu le teint des caissières ? La vérité, c'est que vous êtes victimes des lessiviers. Ils se fendent la poire, crois-moi. Ils font exprès de vous embourber avec leur dialectique alambiquée. Ils sont sûrs que faute de vous décider, vous allez tout rafler.

J'enrage, n'empêche, il a raison. Je reste plantée des heures au rayon nettoyage. J'ai testé tous les produits récurants imaginables. Toutes les poudres et tous les gels. J'ai les robinetteries les plus étincelantes de la planète. J'ai beau militer pour l'écologie, en matière de crasse, j'ai tendance à oublier un peu les problèmes de pollution. J'ai la phobie de l'à-peu-près. Je terrorise Lorenz avec mes bacs de linge sale. J'en ai tout un alignement. Un pour le blanc, un pour la couleur. En fait, pour le blanc, j'en ai deux. Un pour le coton et un pour le synthétique, parce que le synthétique jaunit. En plus, avec ses goûts vestimentaires, je suis gâtée ! J'ai aussi un bac pour le noir, et un autre pour les vêtements fragiles, à laver à la main. Quand Lorenz s'approche de la buanderie, je le surveille. Ça le rend nerveux. Du coup, il lui arrive de se tromper de bac et je pique une crise. Je ne l'avoue pas à Sam, il me prendrait pour une harpie. Je songe que notre séparation a du bon. C'est peut-être un avantage de ne pas tout savoir sur la personne qu'on aime. Au quotidien, je ne suis pas toujours flamboyante. Je pars en chandelle pour des détails et j'emploie un vocabulaire de mégère. Il m'arrive d'avoir des mots durs et blessants à l'adresse de Lorenz. Il prend une mine épouvantée. « Anna, dis-moi que ce n'est pas toi. » Même si je n'en suis pas fière, c'est moi tout craché. Au moins, je n'aboierai jamais sur Sam. C'est réservé à Lorenz.

— Sam, il faut que j'y aille. J'ai rendez-vous avec Magda. On se revoit quand ?

— Je ne sais pas, il soupire.

À Milan, on n'a pas pris rendez-vous. Noël est dans trois mois, ce n'est pas la période idéale pour des retrouvailles. On va être occupés chacun de son côté. On ne s'attarde pas au bout du fil. On se dit qu'on s'aime et on raccroche. On ne sait même pas quand on va se reparler. Dehors, il tombe des cordes. J'enfile un imper et je marche à la rencontre de la pluie. C'est la première pluie, la première averse de l'automne. Je lui offre tout mon visage. Une voiture mord le caniveau, je fais un bond pour éviter le jet d'huile et de goudron. Saleté de grande ville grise. On n'y voit pas à un mètre. L'eau imprègne mes semelles et dégouline sur mes joues. Au moins, je vais pouvoir pleurer tranquille.

23

SAM

J'ai grappillé une pause-déjeuner et j'ai filé au Luxembourg. À présent, je suis affalé sur une chaise en ferraille verte prétendue cultissime du jardin mythique. Mes voisins sont plongés dans le dernier Modiano, la coqueluche des bobos du Luco. On le voit souvent traîner sa carcasse voûtée dans les allées, la mine en friche et le pas mollasson. J'ai emporté un bouquin sur Scott Peterson. Un salopard qui a buté sa femme enceinte de huit mois pour se tirer avec sa maîtresse. Je l'ai acheté avec Anna au *mall* de Lennox, à la librairie Books-A-Million. C'est un titre de la collection « *True Crime* ». Les « *True Crime* », c'est ma came. Je dois en posséder une bonne centaine dans ma bibliothèque. Chacun raconte un fait divers américain atroce de la manière la plus détaillée possible. Description des personnages, circonstances du crime, enquête de police, procès, l'auteur fait un compte rendu mégaprécis de l'affaire, et il y a des photos des protagonistes, victimes, assassins et enquêteurs. Les clichés sont en noir et blanc, et de mauvaise qualité. Mes « *True Crime* » préférés concernent les assassins sociopathes. Les fêlés qu'on ne voit pas venir. Qui ont des comportements normaux. Ils vivent dans une belle baraque, dans un beau quartier, ils font des barbecues le week-end. Ils ont de bonnes gueules, sont mariés avec des nanas d'enfer, qui leur ont pondu ce qui se fait de mieux en matière de mômes, ils fêtent

Noël ou Thanksgiving avec les copains et un jour, ils pètent un câble. Ils défouraillent, « poum, poum, poum », et ils exterminent toute leur famille sans le moindre état d'âme. Autour, personne ne pige. Comme quoi il faut se méfier à mort des types parfaits.

Bon, je reconnais que passer à la caisse avec soixante-quinze « *True Crime* » jette toujours un froid. Les clients me reluquent bizarrement. Dans le tas, très peu sont francs du collier. Ils matent le comptoir en douce. Leurs yeux font des allers-retours précipités de ma pile à ma tronche, avec pour principal souci de ne me tourner le dos sous aucun prétexte. Mais aucun ne croise mon regard. Quand ça arrive, le gars me sourit en zigzag et on le sent tout de suite prêt à s'excuser. Et c'est rien à côté de la réaction du caissier. Lui recule carrément à huit mètres et frappe les touches avec les ongles. Il ose à peine m'annoncer le prix. Il s'adosse au mur du fond pour me jeter le ticket. Et il ne me demande jamais si je veux un paquet-cadeau. C'est marrant, les caissiers de Books-A-Million sont tous exagérément aimables, sauf avec moi. Pourtant, j'ai ma carte de fidélité, ma réduc de 20 % et je paie avec des dollars tout neufs. Je ressors de là cassé en deux comme un vieux bourricot, avec des sacs de plomb au bout des bras. D'ailleurs, les vendeurs de Brookstone me déroulent le tapis rouge. Tu parles, en une journée, ils me fourguent plus de valises à roulettes qu'aux immigrés mexicains en trente piges.

Je lis l'histoire de Scott Peterson, donc, comment ce taré a buté sa femme Laci, une gonzesse magnifique avec un cœur en or, qui devait mettre au monde un petit Conner d'un moment à l'autre. On a retrouvé leurs corps dans la baie de San Francisco. D'après le légiste, c'est la putréfaction qui l'a fait accoucher *post mortem*. Laci n'a pas eu de bol d'épouser un cinglé pareil, la vie est parfois franchement dégueulasse. Et parfois pas. Pour la première fois depuis des semaines, je me sens presque peinard. J'ai rancard avec Betty, on va déjeuner au *Santa Lucia*. Un restau napolitain de la rue des Canettes. Les patrons font partie de la famille, la bouffe est faite maison par la *nonna*. J'ai décidé de bichonner Betty. Je lui en ai fait baver depuis mon retour d'Atlanta, plus d'une fois, je l'ai surprise avec les yeux rougis. Elle avait les lèvres tremblantes et une expression de petite fille perdue dans une foule. Ça m'a bouleversé. Je lui ai dit « T'en fais pas, *honey*, ça va aller ». Elle aime bien quand je l'appelle *honey*. Elle est dingue du miel. À l'hôtel, elle rafle tous les petits pots du plateau. Le miel et la confiote. Elle a une fascination absolue pour tout ce qui est mini. La minimoutarde, le miniketchup, le minipoivre, le minisel. Quand je pars en reportage, elle me tanne pour que je bourre mes valises de toutes les miniatures possibles. Une fois, j'étais parti au Japon, elle a exigé du minisoja.

— C'est débile, j'ai dit, il y en a sur tous les plateaux de sushis livrés à domicile.

Elle a couiné que c'étaient pas les mêmes, que ceux-là étaient en sachets.

— Au Japon, elle a précisé, c'est des miniflacons de la marque Yamasa. Il y a une pagode imprimée sur la bouteille.

J'ai cédé. Total, ça a pété dans ma valoche, et on n'a jamais pu ravoir mes nippes. Mais Betty a soutenu que c'était pas grave. Ça valait quand même le coup. « Merci d'avoir essayé mon amour. » Elle me réclame aussi les minishampoings et les minisavons de salle de bains. Moi, ça me fout la honte. J'ai toujours l'impression que les femmes de chambre me regardent de travers. Elles se disent *Quel bâtard, celui-là, il nous laisse que dalle.*

C'est bien connu, partout au monde, elles comptent toutes sur ces petits surplus. Elles les décomptent de la réserve.

Entre elles, ça doit être tous les matins la bataille d'*Hernani*. Elles doivent s'exhiber la récolte du jour.

— Martine, t'as embourbé combien de bonnets de douche et de tampons de cirage au 8e ?

J'imagine la suspicion de la gouvernante générale quand elle détaille ses stocks. Et les autres rusées, avec leurs poches rembourrées d'écureuils boulimiques : « Désolée, madame, le monsieur de la 208 a tout raflé. Y a même pas les emballages dans la poubelle. Vous pouvez vérifier. » Oui, parce que c'est à ça que les rouées repèrent les crevards. À leurs poubelles qui crient famine. Leurs sacs plastique pleins de saloperies irrécupérables, genre Kleenex morveux et cotons-tiges usagés. Bonjour la pêche. Après ça, va te la péter à la criée !

Betty braille qu'elle s'en tape, de ces grognasses. Elles n'ont qu'à s'acheter leurs produits en magasin comme tout le monde. Je suis bien d'accord, pourquoi elle en fait pas autant ? Elle répond que c'est parce que dans le commerce, on ne trouve pas de miniflacons. Je suppose que c'est également pour cette raison que les bonniches les barbotent, mais je me la ferme. Le pire, c'est que, chaque année, quand elle vide les placards, elle en balance des tonnes. Des rangées entières de minibordels avariés filent aux ordures. Mais bref.

J'aperçois Betty de l'autre côté du bassin central. Elle sautille à ma rencontre dans une petite robe bleue, elle porte un bandeau dans les cheveux. Pas de sac à main. Elle me fait des grands signes. Elle a l'air toute joyeuse. Mon estomac chavire. J'ai envie de courir à sa rencontre et de la prendre dans mes bras. Mais j'ai les guibolles en plomb. L'image d'Anna se superpose. Merde. C'est reparti. Je vais encore tout foutre en l'air. Un mec passe devant mon banc avec un clebs. Une sorte de long boudin jaune dont les oreilles balaient les graviers. Ce con lève la truffe dans ma direction. Dans son regard dégoulinant, je lis : « Je ne voudrais pas être un homme. »

— J'ai une faim de loup !

Je me pince. Est-ce que je comprends la langue des clébards ?

— Sam !

Betty enfouit sa tête dans ma nuque. Ouf. C'est elle qui a faim.

— Tu es en nage, mon amour.

Pire que ça. J'ai l'impression d'infuser comme un sachet de thé.

— On y va ?

— On est partis.

Elle me chope la main, je pousse un gémissement. La veille, je me suis entaillé le pouce avec le couvercle de la boîte de thon. Elle m'a badigeonné de Bétadine, j'ai la pogne comme un gant de cuir orangé.

— Pardon, pardon, elle fait. Je suis tellement contente d'aller au *Santa Lucia*. Je te couperai ta pizza.

— J'ai pas envie de pizza.

Ça y est. Je redeviens lourd. Ça va jamais s'arrêter. Tant que j'aurai le cul entre deux chaises, je me conduirai comme un goujat. Ça peut pas durer. Faut que je prenne une décision une fois pour toutes et que je m'y tienne. Le problème, c'est quelle décision ? Qu'est-ce que je veux ?

Au boulot, j'ai regardé une carte d'Europe. L'échelle indiquait un centimètre par kilomètre. J'ai compté portion par portion. Je suis arrivé à 686 centimètres pour 686 kilomètres. C'est la distance exacte entre Paris et Munich. J'ai tracé un trait rouge entre les deux villes. L'artère principale de mon cœur passe par Nancy, Strasbourg et plein de noms finissant en *gen* et en *sbruck*. J'ai songé, ça me prendrait quoi, de sauter dans ma bagnole et de rouler dans le rouge jusqu'à son appart ? Quatre, cinq heures ? Et dans quatre, cinq heures, on ferait quoi ? On se réfugierait dans un boui-boui loin du centre-ville pour ne pas tomber sur les potes d'Anna. On atterrirait dans un endroit moche avec des concessionnaires BMW et des enseignes à croix gammée. J'exagère, OK. On roucoulerait dans la zone industrielle en se collant l'un à l'autre comme des bulots. En guise de bons relents de marée, on reniflerait du monoxyde de carbone.

On serait ensemble, OK. On se regarderait dans les trous de nez. Je t'aime, *ich liebe dich*, on se caresserait le menton. T'as la peau douce, *you have a sweet skin.* Du vison sur la pierre d'un lavoir centenaire. Et on prendrait dare-dare un aller simple pour Atlanta, histoire d'égrener nos souvenirs en boucle. Toujours les mêmes. Pour varier les plaisirs, faut vivre les choses longtemps. Mon passé avec Anna tient tout entier dans une seule colonne du calendrier. On a beau être raides dingues, vingt et un putains de jours, ça fait pas lourd. Ça fait taulards qui radotent dans leur petite cellule de merde. « Salut, quoi de neuf mon pote ? – De mon côté, rien, et du tien ? »

On s'assoirait sur une banquette fourrée de noyaux de pêches et elle glousserait comme une collégienne qui va perdre sa virginité. Forcément, à un moment donné, on aurait envie de baiser. On louerait une piaule pour l'après-midi dans le quartier. L'hôtel serait miteux. Aseptisé à l'allemande mais naze. Un cube avec des fenêtres. Genre des meurtrières. Le Frankenstein de la réception nous refilerait une vieille clé avec un œil morne et on prendrait un ascenseur sirupeux. Entre deux « dong » d'étage, on subirait une musique bavaroise remixée. Le plan sordide. Je maintiens que pour monter au septième ciel, il y a des envolées plus exaltantes. Sans compter qu'on déboulerait dans six mètres carrés de néant, je sais pas si c'est du racisme ou quoi mais j'ai dans l'idée qu'à côté le pire bouge de Milan ferait figure de palace.

Je suis toujours dingo d'Anna, mais pas question qu'on se mette ensemble. D'abord, on crécherait où ? Je vais pas déménager chez les Teutons. Je pige rien à leur langue, je trouve même dingue qu'ils se comprennent entre eux. Le verbe est placé en bout de phrase. Pour piger le sens, faut attendre la fin. Anna n'a pas d'humour sur la question. À Milan, quand je lui ai dit que les Allemands naissaient vraiment dans les choux, elle a tiqué.

— Mais vous ne bouffez que ça ! je me suis justifié.

Elle a commencé à me faire la liste des spécialités culinaires d'outre-Rhin, à base de patates à la sauce verte et de bidoche marinée, c'était pas ragoûtant.

— Je sais pas qui peut aimer ça, à part Helmut Kohl, j'ai gémi.

— Sam, t'es pas drôle.

— Disons que je suis plutôt poisson.

J'aurais mieux fait de la boucler. Elle a enquillé sur les harengs de la mer du Nord. Il paraît qu'on les bouffe avec de la purée de betteraves rouges et d'oignons. J'en déduis que, quand les marins dégueulent, le port de Hambourg est repeint en rose. Ça s'appelle l'art allemand.

Je sais, il y a des gens qui prétendent que les Boches ont une vraie culture. De vrais peintres et de vrais musiciens. Perso, j'y suis tout sauf sensible. Je trouve *Le Cri* de Munch hideux. Ce type halluciné qui marche sur un pont en se bouchant les oreilles me file les chocottes. Et là encore, le ciel est rouge. La gerbe des marins doit suivre un courant ascendant. Anna a grincé que Munch était norvégien. Et toc. J'ai fait « Oui, mais c'est à Berlin qu'il s'est fait un nom. Il a dû pondre son cri après avoir croisé son premier Boche ». Et toc.

J'aime pas Wagner non plus. Aucun de ses opéras. À part la *Walkyrie*, mais uniquement dans *Apocalypse Now*. Comme par hasard, Coppola a choisi ce morceau pour une scène de bombardement au napalm. Wagner va bien avec le napalm. Ses notes s'accordent parfaitement avec les hurlements des mômes qui crament. Stéphane Mallarmé a écrit que « la musique rejoint le vers pour former, depuis Wagner, la poésie ». J'ai déniché ça dans un de ses bouquins qui s'appelle *Divagations*. Il a bien choisi le titre. Ce jour-là, il était probablement en train de divaguer.

Anna ne pourra jamais comprendre à quel point nous, les Français, on ne peut pas blairer ses concitoyens. Et j'ai pas le courage de lui donner tous mes arguments. Elle considère la guerre comme de l'histoire ancienne. En plus, elle est née à l'Ouest. Elle a beau me raconter le Mur, les miradors et comment elle a guinché le 9 novembre 1989, quand il a été dégommé, ça ne m'émeut pas une seconde. Moi aussi, j'ai pris une cuite à la mort de Franco. Mais, au moins, les Espingouins républicains étaient des victimes. Ils s'étaient castagnés. Il s'agissait d'une guerre civile. Les Allemands avaient suivi leur tyran comme des moutons, oui ou merde ? La seule fois où on a évoqué la question, c'était à Atlanta, et, le soir, j'ai dormi à l'auberge du cul tourné. Autant dire qu'après, j'ai laissé tomber la question.

Vivre en Allemagne, c'est *niet*. L'hiver est trop rude pour ma carcasse. Et qu'est-ce que je foutrais à Munich ? Je tiens à mon boulot et correspondant de Canal à Munich, ça n'existe pas. Je vais pas vendre des saucisses, donc, côté professionnel, c'est râpé pour moi. J'ai songé qu'Anna pourrait trouver un job de traductrice à Paris. Merde. Si elle vivait à Paris, je serais dans la colle. Toujours fourré dans son quartier. Ça nous embarquerait dans un autre binz. Genre liaison officielle, avec baisers volés et crises de nerfs à la clé. Combien de temps Betty mettrait à me gauler ? Et qu'est-ce qui se passerait après ? On se partagerait le canapé et la téloche ? Je vois d'ici le cauchemar. Les copains et la famille remontés à bloc. « Sam, réfléchis cinq minutes. On fout pas sa vie en l'air pour une histoire de cul. » J'aurais beau argumenter que c'est loin d'être ça, que j'ai Anna dans la peau, ils trouveraient toujours le moyen de me flanquer le moral à zéro. « Ça t'avancera à quoi ? Au bout de six ans avec elle, au mieux t'en seras au même point qu'aujourd'hui avec Betty. » Ils préciseront bien « au mieux ». Sous-entendu, au pire, ça pourrait tourner au carnage et tu le regretterais.

Au mieux, Anna et moi, on s'éclatera ensemble, OK. Mais tout le monde sait que la passion ne dure pas. Elle ne résiste pas au train-train. Il n'y a que la nouveauté qui soit exaltante. Si ça se trouve, ce que je préfère chez Anna, c'est justement sa nouveauté. Tous les trucs que j'ai jamais faits avant elle avec une autre. C'est vrai qu'il y en a une belle tripotée. Baiser en anglais, bouffer du fromage au petit dèj, me réveiller au *Westin*, acheter des boules de Noël à Dahlonega. Faut avouer que le cadre géorgien avait vraiment de la gueule.

Je nous imagine le long de la Seine, par temps gris. Bien sûr, comme décor, il y a pire que Paris. Mais on ne serait pas des touristes, on s'émerveillerait pas toutes les dix secondes. Une fois que j'aurais embarqué Anna sur les bateaux-mouches et qu'on aurait escaladé le Sacré-Cœur, ça ne serait plus la capitale de l'amour. Ça serait juste une grande ville comme une autre, avec tous ses mauvais côtés. Les quartiers glauques, le boucan des camions-poubelle, les trottoirs merdeux, les embouteillages sur le périf, les magasins fermés le dimanche, les grèves de la RATP, les pouilleux qui te tapent des clopes, jamais de place pour garer sa bagnole, sans parler des parigots têtes de veaux. Une putain de ville à la noix, ouais. Même Anna finirait par la prendre en grippe.

Betty babille, le nez plongé dans le menu. Elle hésite entre les rougets et le risotto.

— Josué, comment sont cuisinés les rougets ?

— Ils sont poêlés en filets, *bella*. Sam, Paolo t'a fait du pain pizza aux herbes.

— Sers-nous un santa cristina frais.

— NINO ! Un santa cristina.

On est chez nous. À l'abri. Dans un cocon familier. Le mois de septembre est clément, la *nonna* a ouvert les baies vitrées en grand. Le *Santa Lucia* est une adresse réputée. Les murs de pierre sont couverts de photos de célébrités. Brad Pitt et Gwyneth Paltrow ont dîné à notre table. Sur le cliché, Brad fait le zouave et Gwyneth a un sourire suave comme un milk-shake.

— Tu t'es décidé, Sam ?

Oui. Je vais tirer un trait sur Anna. Trouver des mots anglais potables et ficeler deux ou trois phrases sur le thème « On ne peut pas continuer comme ça ». On arrête tout. Stop. C'est trop dur. Rien ne tourne jamais comme on l'espère. Tu le sais bien, petite sœur. Il faut oublier, tout peut s'oublier. Ta peau, tes cheveux défaits, mouillés, relevés en chignon. Ton odeur de taillis. Mes racines vrillées dans la terre meuble de ton ventre. Tout ce qui est à nous. Fin de l'histoire.

24

ANNA

Magda est en rogne contre son dernier petit copain. Un avocat de Baden-Baden, marié et père de famille, comme tous ses amants. Elle prétend que les hommes sont tous les mêmes. Lâches, menteurs, infoutus de prendre des décisions. Des égoïstes incurables. Superficiels. Inconsistants.

— Ils trompent leur femme à tire-larigot, mais ils restent avec. Ton Sam ne fera pas exception à la règle.

— Je ne lui ai pas demandé de quitter Betty. Moi-même, je ne quitterai pas Lorenz.

— Oui, mais toi, tu t'accommoderais d'une liaison à long terme. Lui, il va se débiner.

— Il m'aime trop pour ça, Mag.

— Il peut t'aimer tant qu'il veut, il va flancher.

— Qu'est-ce qui te fait dire ça ?

— Mon boulot. Et je connais les mecs. Ils sont d'accord sur tout, à la base. Ils pérorent, ils te sortent les grandes orgues. « Mon amour. Ma vie. » Mais à un moment donné, ils calent et ils font marche arrière. C'est dans leur nature.

— Tous les hommes ne sont pas pareils, Magda.

— Ils ont tous un point commun : ils ne veulent pas d'emmerdes, Anna. Regarde autour de toi.

J'ai pas mal de copains mariés, des types bien, qui ont des femmes comme ça. Quand je les vois ensemble, j'ai la certitude qu'entre eux c'est l'harmonie totale, autant physique qu'intellectuelle. Je sais reconnaître les couples amoureux. Il y a des signes qui ne trompent pas. Ils ont des gestes privés et tendres commc sc débarrasser le menton d'une miette de pain, ils échangent des clins d'œil complices à propos de sujets insignifiants, un problème de plomberie ou de carte bancaire leur évoque un souvenir secret, ils font des allusions amusées qu'ils sont seuls à comprendre. Ils parlent en se pinçant les cuisses sous la table, ce qui déclenche en eux un appétit sensuel soudain. Ils émettent alors une sorte de gloussement simultané, aussitôt réprimé, et feignent de revenir à la société, alors qu'ils ont réintégré leur nid à deux, ils maraudent dans la plus pure intimité. Ils s'admirent, ils se flattent, ils se défient. Des paons qui font la roue. C'est un langage codé. Une manière efficace de préparer la nuit bouillante qui va suivre. La plupart élèvent des enfants surdoués au sujet desquels ils sont intarissables. Ils exhibent leurs albums de famille, « Regardez la petite comme elle a changé », et s'exaltent sur les fêtes de Noël des mois avant la date. Vous êtes à l'agonie et eux sourient aux anges, comme si leur vie était le jardin des délices.

Sauf qu'à un moment donné les pères prétendent s'ennuyer dans leur petit train-train. Ils le prétendent d'autant plus qu'ils ont une autre femme dans le viseur.

— Une fille super, Anna. Tellement différente des autres. Une perle rare, je te jure. Si tu la rencontrais…

Je dis « Bien sûr, tu me la présentes quand ? »

Là, en général, ils rechignent.

— Telle que je te connais, tu vas encore trouver à redire…

J'ai beau promettre que non, je serai aimable, amicale, je ne ferai aucun commentaire ironique ou tendancieux… je ne vois jamais la fille. Ja-mais.

Au bout d'un moment, en général, assez court, ils pleurnichent au téléphone.

— Anna, je suis dans la mouise.

Ils gémissent que la perle rare est une tannée, elle appelle la nuit sur la ligne de la maison et, le jour, elle se plaint. Elle fait du chantage et profère des menaces. Elle exige des preuves et des explications. De son côté, la légitime rue dans les brancards. Elle récrimine en boucle. Elle hurle que c'est louche, elle pleure, elle claque les portes, elle exige aussi des preuves et des explications. Le genre de situation que les hommes sont incapables de gérer.

Magda a raison sur un point, ils trompent tous leur femme mais ils ne veulent pas se compliquer la vie. Sauf que moi, je ne complique pas celle de Sam. Je ne l'appelle pas la nuit. Je ne fais pas de chantage. Je ne profère pas de menaces.

— Moi non plus, elle grogne. Mais monsieur culpabilise.

Je songe qu'il y a de quoi. Je culpabilise aussi. Et Sam pareil. Je l'ai senti à Milan et je le sens tous les jours au téléphone. On n'en parle pas, mais c'est là. C'est entre nous. Et ça grandit. Ça érige une barrière dans nos relations. Ces derniers temps, il se plaint sans arrêt d'être fatigué.

— Je suis crevé, Anna. Je fais trop de bornes, sur trop de routes. Je suis effiloché comme un tricot dont les mailles auraient fichu le camp.

Il dit qu'il ne tourne plus rond. Il dit qu'il a besoin d'un réglage de compas. Il dit qu'il a du mal à se concentrer. Il dit qu'il ne dort plus. Il dit que c'est compliqué. Il dit « Je t'aime mais ». Il dit « Tu me manques mais ». Hier, il m'a appelée d'une gare, son train était en retard. Je me suis fait la réflexion que, s'il avait été à l'heure, il ne m'aurait pas téléphoné. Il me téléphone moins souvent. Et moins longtemps. Il invoque des prétextes pour écourter nos conversations. Des crampes dans l'avant-bras, des douleurs à la mâchoire. Il gémit que c'est à force de coincer le récepteur entre son épaule et son menton pour libérer ses mains.

— Qu'est-ce que tu fais avec tes mains, Sam ?

— Je remplis des papelards.

C'est fou la quantité de papiers qu'il peut compulser. Magda a raison. Il est à deux doigts de craquer.

— Tu savais où tu mettais les pieds, non ? Tu savais que ça ne durerait pas. Hé, ho ! Anna…

Je dis « Oui, Mag, je savais ». Mais non. Je ne savais pas.

— Tu t'attendais à quoi, ma vieille ?

Elle remet son amant sur le tapis. Elle le décrit comme un épouvantail. Elle jure de lui en faire baver. Elle a ramassé tous ses tickets de parking et les reçus des restaus qu'il a réglés avec sa Gold. Il payait l'hôtel en liquide. « Prudent, le salopard. » Mais apparemment pas assez.

— Ça va te servir à quoi de mettre le bazar dans sa vie, Mag ?

— À me soulager. Je veux qu'il en bave un max avec bobonne. Il me l'a décrite, figure-toi. Une vraie souillon. Le genre qui se laisse aller à trente-cinq piges. Elle s'habille en 42, elle achète ses nippes sur catalogue, t'imagines. Et elle carbure aux antidépresseurs, par-dessus le marché. Crois-moi, elle a pas fini d'avaler des gélules. Ces gars-là, il faut leur mettre le nez dans leur caca, ma belle. Qu'ils se torchent les narines à la toile émeri.

— Mais tu penses à leurs enfants ? C'est eux qui vont trinquer.

— Je m'en tape de leurs merdeux. Ce con n'avait qu'à pas en faire. Et l'autre pondeuse, tu ne crois pas qu'elle mérite qu'on lui ouvre les yeux ? Et va savoir, la nouvelle va peut-être lui faire perdre un quintal. Elle va peut-être enfin se dénicher un mec correct.

« Un mec correct », je relève. Quelque part, elle y croit encore. Il y a une semaine, elle soutenait qu'un mec nul était un pléonasme. Elle sourit. Gagné. Dans une minute, elle va reprendre du poil de la bête et me citer Schopenhauer.

« L'amour, c'est l'ennemi. Faites-en, si cela vous convient, un luxe et un passe-temps. Traitez-le en artiste. »

Bingo. Elle continue sur la lancée du philosophe, comme quoi, l'amour, c'est développer le malheur et vouer une infinité d'autres êtres à la misère. On a tous été confrontés à ce sentiment de honte et de tristesse qui suit l'acte sexuel. N'est-ce pas, Anna ? Mag, je t'aime. Il n'y a que toi qui ne changes pas.

— T'en fais pas ma chérie, on est des battantes. On les mettra minables. Ils pleureront leur race. Heinrich comme les autres.

Le paria de Baden-Baden s'appelle Heinrich. Il y a trois mois, c'était un seigneur. La crème des crèmes. Marié sur un malentendu. Le coup classique du chevalier au grand cœur piégé par une rouée. Une Berlinoise docile en apparence qui cachait bien son jeu. Le pauvre.

Je tourne en rond à la maison. Je me réveille la nuit, je me lève, je n'allume pas. Je m'assieds dans le salon et j'attends. Je suis chez moi comme en terre étrangère. Difficile de vivre harmonieusement dans l'appartement où Lorenz et moi avons disposé chaque chose avec soin. Je regarde les objets, le canapé, les tapis, la table, les bibelots, les livres, les tableaux, les lampes, tout ce qui est à nous, qu'on a chiné ensemble, qui provient d'endroits qu'on a aimés. Je songe qu'il n'y a rien de Sam et moi. À quoi ça aurait ressemblé si on l'avait meublé tous les deux ? On aurait flâné dans quel type de magasins ? Il déteste les zones commerciales à la sortie des grandes agglomérations. Les enseignes criardes, les rotondes et les parkings géants. Il a la phobie des couples qui vagabondent entre les rayons avec des calepins saturés de mesures. Il exècre les univers standardisés. Il n'aime pas le rouge. La chambre aurait été dans les tons bleus. Il aurait probablement choisi des draps en lin taupe. Peut-être avec des rayures. Crème ou marron glacé. Quelque chose de sobre. Des taies rectangulaires, sans fioritures. Il aurait exigé un surmatelas moelleux comme au *Westin.* On s'y enfonçait comme dans un cocon. La nuit, il a toujours trop chaud. Il se découvre, il aurait privilégié une couette synthétique légère.

— Anna, t'es toujours là ?

— Oui.

En vérité, je prie pour qu'elle raccroche. C'est le créneau des appels de Sam. Pourvu qu'il ne tombe pas sur le signal occupé. Est-ce qu'il pourra rappeler dans cinq minutes ? *Mag,* je songe, *repose ce fichu récepteur sur sa base. S'il te plaît.*

25

SAM

Je n'ai plus de nouvelles d'Anna depuis deux mois. La dernière fois qu'on s'est parlé, je rentrais du cimetière Montparnasse. Cette année, la tombe de Maupassant m'a paru encore plus mortifère que les Toussaint précédentes. Il pleuvait des cordes, et un toquard avait planté des hortensias bleus en plastoque dans le petit carré herbeux. Comment je te les ai virés vite fait ! Comme d'hab, j'étais le seul à lui déposer un bouquet frais. Cette fois, j'ai déniché des crocus d'automne. Les fleuristes m'ont jeté des regards furibards quand j'ai franchi l'enceinte de la rue Émile-Richard. À côté de leur étalage marronnasse, mes petites corolles violettes avaient l'air un poil trop vivantes, ils ont pris ça pour de la provocation. Je leur ai fait un bras d'honneur et une mémé m'a demandé où je les avais trouvées. J'ai braillé l'adresse tout fort, exprès. À cause de l'averse, je ne me suis pas attardé. J'ai planté mes crocus entre les deux colonnes, au-dessus du livre en marbre. Un symbole moche et lourdingue, avec des phrases nunuches gravées au burin, le contraire d'un vrai bouquin. J'imagine sa tronche s'il voyait cette saloperie. Lui qui était *rock'n roll* comme pas possible ! Les gens s'en font une fausse idée. Le problème de Maupassant, c'est son époque. Ce foutu XIXe, avec sa tripotée d'aubergistes et de marchands de bois. En plus, les gars roulaient en calèche et les bonnes femmes portaient des crinolines. C'est ça qui l'a buté en tant qu'écrivain. Les bibis des bourgeoises et le crottin sur la chaussée. Ça lui a flanqué un coup de vieux et les décors n'ont rien arrangé. Son œuvre manque d'aéroports et de cabines téléphoniques. À cause de ça, certains lui trouvent un côté démodé. C'est d'autant plus injuste qu'il n'avait rien à envier à San-Antonio. Ceux qui me croient pas n'ont qu'à lire ses dialogues. C'est les plus salés que je connaisse, ça jacte argot à toutes les pages. Et il ne faut pas oublier que ce jouisseur est mort de la chtouille. Cinglé et plombé jusqu'à la moelle. Avant de casser sa pipe, il a lâché ces mots désopilants :

— J'ai la vérole, enfin, la vraie, pas la misérable chaudepisse, pas l'ecclésiastique cristalline, pas les bourgeoises crêtes-de-coq, les légumineux choux-fleurs, non, non, la grande vérole, celle dont est mort François Ier. Et j'en suis fier, malheur, et je méprise par-dessus tout les bourgeois. Alléluia, j'ai la vérole, par conséquent, je n'ai plus peur de l'attraper.

Frédéric Dard doit vénérer Maupassant.

La bonne nouvelle, c'est que ses voisins de tombe n'ont pas reçu de visite depuis des lustres. Il y a cinq, six ans, j'ai appelé le conservateur du cimetière. Je lui ai demandé les conditions pour reposer au Petit Montparnasse.

— Monsieur, il a grogné, j'ai une mauvaise nouvelle. Il y a vingt ans d'attente.

J'ai répondu « Pas de problème, j'attends ! »

Il a pas pigé que j'étais pas pressé de passer l'arme à gauche. Il s'est lancé dans un laïus interminable sur les concessions à perpétuité, comme quoi leurs occupants étaient inexpulsables. Ou presque. Le « presque » a retenu mon attention. J'ai exigé des précisions.

— Quand un mort n'a plus de descendant, il a dit, on finit par remettre sa concession sur le marché.

— Comment vous savez qu'il n'a plus de descendants ?

— Quand il ne reçoit plus du tout de visites.
— Vous comptez les visiteurs ?
— On reconnaît une tombe à l'abandon.
— À quoi ?
— À l'absence de fleurs.
J'ai exulté. Depuis, je vire toutes les fleurs de la rangée. Maupassant a la division la plus sinistre du cimetière.
Anna m'a appelé le dimanche midi, à l'heure où Betty fait le marché. Elle a senti que j'étais d'humeur sombre.
— Sam, ça va ? elle s'est inquiétée.
J'ai répondu que j'étais en deuil.
— Depuis quand ?
— Depuis le 6 juillet 1893.
Il y a eu un silence au bout de la ligne.
— C'est le jour de la mort de Guy de Maupassant, j'ai précisé.
Grâce à moi, elle s'est entichée de Maupassant. Elle a lu *Aux champs* et *La parure*, mes nouvelles préférées. Elle les a trouvées cruelles, ça m'a fait bicher. C'est ce que je préfère chez lui. Sa cruauté lucide. On voit bien la saloperie de la nature humaine. D'autant que la traduction allemande n'a rien dû arranger. J'ai raconté à Anna que Maupassant avait tenté de se suicider avec un pistolet.
— Comme Hemingway ? elle a demandé.
— Oui, j'ai dit, sauf que son con de domestique avait retiré les balles.
— Coup de chance ! elle a fait.
— Je ne sais pas si on peut parler de chance, j'ai répondu. Par dépit, il a pété une vitre ou chopé un coupe-papier, je sais plus, et il a essayé de se trancher la gorge.
— Et quoi ?
— Et rien. On l'a bouclé dans un asile. Il a fait une paralysie générale et il est mort après dix-huit mois dans le cirage.

Il y a eu un blanc au bout du fil. J'ai pensé *Sam, c'est maintenant ou jamais. Vas-y franco.* Je me suis servi un triple bourbon et j'ai descendu mon verre cul sec, pour me donner du courage.

— Anna, pardon, j'ai dit. Je ne peux plus. C'est plus possible.

Le temps s'est arrêté. J'avais parlé tellement doucement que j'étais pas certain qu'elle ait entendu.

— Si c'est à ce point-là, elle a soufflé, il ne faut plus s'appeler.

J'ai regardé dehors, la rue. Les gens cavalaient sous la flotte, ils avaient l'air d'avoir un but. L'air de savoir où aller, et moi, je ne savais pas. J'allais la perdre, OK, mais, en attendant, elle était là. Elle était au bout de la ligne, je l'entendais respirer. C'était déjà ça. Dans la vie, on est toujours trop exigeant. On dira ce qu'on voudra, l'instant présent, c'est pas de la merde. J'ai quand même récité mes arguments, de manière mécanique.

— Anna, on s'était mis d'accord à Atlanta. On avait dit qu'entre nous ça ne devait être que de la joie. On avait dit que, si on commençait à souffrir, on arrêterait tout. On avait dit « *no pain no complain* ».

On avait dit ça, oui. On était d'accord pour s'aimer jusqu'à la fin des Jeux, point barre. On s'était rencontrés pour le meilleur. C'était une grâce, un cadeau de la vie, il fallait donc le prendre comme ça et dire merci à la vie.

— C'est vrai, elle a plaidé, sauf qu'à Atlanta on avait la vie devant nous.

— OK, Anna, mais c'était du temps dans une bouteille. On savait que quand les Jeux seraient finis, on jetterait la bouteille au-dessus de l'Atlantique et qu'on rentrerait chacun chez soi. Que, ce qui comptait, c'était de ne pas foutre nos vies en l'air. Ça n'aurait pas de sens. On était d'accord là-dessus, oui ou non ?

— Mais on était à Atlanta. Après n'existait pas. On n'y pensait pas. Maintenant, tu vois bien que ce n'était pas réaliste.

— Tu n'as pas répondu à ma question. On était d'accord oui ou non ?

Elle a reconnu que oui, mais elle a dit que c'était du pipeau. Des arrangements à la con. Que, dans la vraie vie, ça ne se passait pas comme ça. Les bouteilles flottaient et la douleur aussi.

— Anna, je regrette, je suis au bout du rouleau.

— Sam ?

— Oui.

— Tu penses ce que je pense ?

On pensait qu'il fallait raccrocher et faire comme on avait décidé à Atlanta au cas où ça tournerait au vinaigre. Jeter l'éponge.

— Anna, je suis désolé. Je jette l'éponge.

Elle a accusé le coup. J'ai attendu qu'elle dise quelque chose. N'importe quoi. J'étais suspendu à sa respiration. Ratatiné comme un mégot au fond d'un cendar.

— Tu te souviens de ma proposition à Milan ? elle a dit.

J'ai appuyé sur la touche « *rewing* » de ma mémoire. On était dans la piaule miteuse, elle m'avait demandé ce que je pensais d'un week-end par an tous les deux, un seul. Et zéro nouvelle entre-temps. Sur le coup, j'avais pas pigé. Elle m'avait raconté la pièce de théâtre américaine, les deux amants de Manhattan qui se retrouvent tous les ans à la même date dans le même hôtel. En dehors de ça, ils ne s'écrivent pas, ne s'appellent pas. Ils s'aiment une nuit comme des dingues et se refilent rancard pour l'année d'après. Ils ne savent même pas si l'autre y sera. Sur le coup, j'avais pensé *Ouais, c'est bien beau, mais c'est du théâtre.* Elle avait senti ma réserve et m'avait supplié d'y réfléchir. Ça m'était sorti de la tête.

— C'est reculer pour mieux sauter, Anna.

— Peut-être, elle a fait, mais, en attendant, accorde-nous un sas de décompression avant le grand saut.

J'ai relevé le « cn attendant » et songé *Après tout, pourquoi pas ?* On n'était pas loin de la chute, mais ça pourrait amortir un peu l'atterrissage. De week-end en week-end, on apprendrait à mieux se connaître, on aurait moins tendance à planer. D'année en année, il y aurait moins de nouveauté dans nos rapports. Moins d'exotisme. Et, avec un peu de bol, on se trouverait des tas de défauts. Je verrais enfin ce qui cloche chez elle et, de son côté, elle finirait sûrement par me prendre en grippe. Je suis loin d'être un cadeau. *Franchement, qu'est-ce qui peut arriver de mieux à des amants forcés de rompre ?* j'ai pensé.

J'ai feuilleté vite fait mon agenda, pour écarter les dates des grands événements sportifs. Le calendrier du foot, les championnats du monde toutes catégories, Roland-Garros, le Tour de France, les Grands Prix de Formule 1. La plupart tombent toujours le week-end, ça ne laissait pas beaucoup de possibilités.

— L'été, j'ai dit, c'est pas possible, je ne connais jamais mes dates de vacances à l'avance, septembre, c'est l'anniversaire de Betty, à la Toussaint, j'ai Maupassant, Noël, c'est râpé.

Au bout du fil, Anna ne bronchait pas. Est-ce qu'elle aussi faisait l'inventaire de ses disponibilités ?

J'ai tout de même trouvé un créneau à peu près peinard en octobre, c'est la période creuse au boulot.

— Je ne vois que l'automne, j'ai dit.

Elle a répondu :

— Chouette, il fait encore beau, on pourra en profiter.

Restait à trouver un endroit. Anna a suggéré une ville à égale distance entre Munich et Paris. Ça nous laissait le choix entre Londres, Amsterdam ou Bruxelles.

— Tu préfères quoi ? elle a demandé.

On ne fume pas de joints et on ne raffole pas des moules frites, on est donc tombés d'accord sur la City.

— En plus, ça te fera travailler l'anglais, elle a gloussé.

Restait à trouver l'hôtel.

— T'as une minute ? elle a demandé.

J'ai louché vers la porte. La minuterie venait de s'allumer. J'espérais que Betty n'allait pas rappliquer avant qu'on se soit filé ce foutu rancard. J'ai entendu Anna feuilleter un bouquin, sûrement un guide de Londres. Elle prenait son temps.

— Tu connais Harrods ? elle a fait. C'est le plus beau des grands magasins du monde !

Elle devait chercher dans le coin d'Harrods.

— On n'ira pas pour faire du shopping, j'ai maugréé.

— Sam, leur épicerie est incroyable. Ils ont reconstitué des commerces à l'ancienne, une vieille boucherie, une poissonnerie à tomber… comme à l'époque de Maupassant… et il y a une échoppe de bonbons délirante, avec des murs de pain d'épice et des colonnes en sucre d'orge. On se croirait dans le village de Hansel et Gretel.

Elle est fortiche pour trouver les bons arguments. Je me suis léché les babines. J'ai espéré qu'il y aurait un étang de Life Savers. Elle a continué ses propositions de quartier.

— Hé, ho ! Anna, j'ai gémi, tu vas pas faire toutes les rues une par une.

— Je cherche un cadre sympa, elle a dit. Tu préfères Covent Garden ou Soho ?

C'est bien des questions de gonzesse, j'ai pensé. *Londres c'est Londres. Et on n'ira pas pour le tourisme.* Elle a continué quand même avec Carnaby Street. La rue mythique de la mode pop, elle a précisé. Et des Beatles. J'ai dit « Va pour les Beatles ».

— L'ennui, c'est qu'il n'y a pas d'hôtels, elle a fait.

— Merde, Anna, choisis un coin où on peut crécher.

Elle a dit qu'on ne pouvait pas décider comme ça à la va-vite, que ça méritait réflexion. Je suis resté ferme. Le rancard, c'était maintenant ou jamais. Elle a fini par lâcher un nom, le *Mayfair quelque chose*, elle a dit que je n'aurais qu'à chercher, on verrait bien si j'étais motivé ou pas. J'ai grogné que c'était pas un jeu de piste.

— Anna, ne complique pas les choses, c'est déjà assez difficile comme ça.

Elle a ri. J'ai éprouvé une bouffée délirante d'amour pour elle. Pour ce rire précis, à ce moment-là. Elle était en train d'en baver à crever et elle avait cette force. Elle devait être allée l'extirper du plus profond de ses tripes avec une excavatrice de chantier.

— Sam, je t'aime, elle a soufflé. Rendez-vous le deuxième week-end d'octobre au *Claridge*.

Et elle a raccroché. J'ai entendu « bip bip bip » dans le récepteur. J'ai pensé *Merde, quelle salope !* Le *Claridge* est un palace, une annexe de Buckingham. La reine d'Angleterre y case ses invités de marque. Si on n'arrive pas en limousine, on se fait refouler à coups de bâton. J'avais pas la tenue pour débouler à la réception. Mais c'était trop tard pour la ramener. J'ai compté mentalement. Il me restait onze mois pour dénicher un costard.

26

ANNA

Je pense sans arrêt à Sam, tous les prétextes sont bons. Tout ce qui a un rapport avec Atlanta me le rappelle et tout a un rapport avec Atlanta. Le sport, la chaleur, les papillons, Gap, le vin blanc, conduire en écoutant la radio, les coïncidences, les chambres d'hôtel, les aéroports, *Cool Water*, *Autant en emporte le vent*, les restaurants français, la télé, les Lucky Strike, les centres commerciaux, les tennis blanches, Paris, CNN, Hemingway, les chauffeurs de taxi noirs, les buildings, les hot dogs, le Coca-Cola, Ray Charles, la Grande Ourse, Noël. Quand il se produit un certain type de catastrophe, je sais qu'il pense à moi. En novembre, un Boeing 747 saoudien est entré en collision avec un autre avion près de New Delhi. Trois cent cinquante morts, à cause, prétendument, du mauvais anglais des pilotes kazakhs. Ça a fait la une des médias, CNN a passé des reportages, Sam a dû voir les débris des carcasses, ça lui a forcément rappelé le crash de la TWA et son mauvais accent anglais. Le même mois, l'incendie du tunnel sous la Manche m'a donné une petite suée ! Heureusement que ce n'était pas notre week-end ! Il y a eu un attentat à Paris, début décembre, une bombe dans le métro, je me suis demandé s'il était dans la rame. L'explosion s'est produite à la station Port-Royal, j'ai retenu le nom à cause du fameux bar que fréquentait Hemingway, la *Closerie des Lilas*, Sam y allait souvent avec Betty. Le temps d'une journée, la *Closerie* s'est transformée en hôpital de campagne. Sam a dû penser à l'attentat du parc du Centenaire. Et s'il lui était arrivé quelque chose ? Bien sûr, je pourrais appeler Canal Plus. Mais pour dire quoi ? « Est-ce que Sam est vivant ? »

Je n'ai pas le cran de composer le numéro.

Le pire, c'est ce sentiment d'avoir éprouvé une passion rare, alors que si ça se trouve, tout le monde a vécu la même chose. Si ça se trouve, je suis sidérée par un événement banal, une salade d'adultère ordinaire qui ferait rire la Terre entière si je la racontais à la Terre entière. On se paierait ma tête : « Sans blague, Anna, tu as eu un amant français ? » Et chacun irait de sa minuscule histoire similaire.

À présent, je regarde les gens comme s'ils avaient tous des amants. Ceux qui courent filent les rejoindre, ceux qui consultent leur montre les attendent. Je reconnais les signes des amoureux illégitimes. Ils ont des attitudes qui ne trompent pas. Une façon particulière de se presser dans la rue ou, au contraire, de traîner la jambe. Je les repère tout de suite aux terrasses des cafés. Ils sont collés l'un à l'autre, touchent à peine à leurs consommations. Ils sont fébriles et pâles, leurs gestes sont empruntés, à la fois nerveux et pleins de retenue. Ils se caressent au ralenti, ils ne se parlent pas, ils ne font que se regarder. Ils ne se voient pas, ils se détaillent. Ils ont des loupes d'entomologistes à la place des pupilles. Des yeux fourbes de démarcheurs à domicile. Coupables et honteux. Mais abominablement heureux. Je les défie en pensée.

Monsieur madame, vous êtes abominablement heureux oui ou zut ? Si oui, signez, la nappe en papier.

Leurs doigts sécrètent l'encre indélébile des serments éternels. Ils se trahissent même quand ils sont seuls. Ils kidnappent les cabines téléphoniques. Leur façon de prendre leurs aises dans deux mètres carrés ne trompe personne. On jurerait qu'ils habitent là. Les premières minutes, ils sont volubiles, ils battent des bras en sautillant d'un pied sur l'autre, leur corps occupe tout l'espace. Ils sourient et parlent plus vite qu'ils ne respirent, d'ailleurs, ils ne tardent pas à s'essouffler. Leurs lèvres bleuissent, ils font des pauses pour emmagasiner de l'air et, au fur et à mesure, ils s'assombrissent. Ils affichent une expression accablée de fin du monde et se ratatinent sur eux-mêmes. Leur être entier s'abandonne au silence, ils finissent à genoux dans leur minuscule réduit vitré. Il y a de la vapeur sur les parois. Au-dessus d'eux, le fil du récepteur est tendu au maximum, ils sont branchés comme au bout d'une perfusion. Ils se couvrent la bouche en parlant et surveillent le compteur d'un air inquiet en tapotant leurs poches. Ils sont toujours à court de monnaie. Leurs unités filent plus vite que celles des usagers ordinaires, ils nourrissent la fente de manière fébrile en vous implorant du regard. *Madame, monsieur, vous n'auriez pas une petite pièce ?* À côté, les *homeless* d'Atlanta étaient des nababs. Autour, on s'impatiente, on frappe contre les battants.

— C'est bientôt terminé ? Est-ce que pouvez raccrocher, s'il vous plaît ?

On n'a pas de compassion pour les amours des autres. Leurs peines de cœur ont tendance à nous raser. On songe, *Allez, c'est pas si grave, tu t'en remettras.*

Lorenz me regarde curieusement, un peu comme s'il me découvrait. Je suis sûre qu'il a deviné pour Sam. Pas Sam en tant que tel, mais il sait que j'ai rencontré quelqu'un. Un Français. J'ai fait des gaffes, manifesté de l'intérêt pour des choses inhabituelles, la culture et la politique françaises, il a vu les livres de Maupassant. *Une vie. Pierre et Jean. Le Horla.*

Paris est une fête d'Hemingway. Il m'a demandé si je prévoyais un séjour à Paris. J'ai répondu « non », abruptement.

— Ça te dirait qu'on aille y passer un week-end tous les deux, *mein Liebe* ?

J'ai fait semblant d'y réfléchir, mais il a senti ma réticence. Ça l'a surpris. D'ordinaire, je suis toujours partante pour une virée dans les grandes villes et Paris est de loin la plus exaltante. Il a évoqué Notre-Dame, le Louvre, le musée d'Orsay, le jardin du Luxembourg, la Seine et Saint-Germain-des-Prés. Le labyrinthe des rues étroites et brinquebalantes qui bordent l'église Saint-Sulpice.

Anna, tu adorerais ce quartier.

J'ai pensé *Oui, probablement.* Mais que se passerait-il si on tombait sur Sam et Betty ? Est-ce que Sam et moi ferions semblant de ne pas nous connaître ? Et si on se saluait, est-ce qu'on ne se trahirait pas ? Paris est une toute petite capitale et depuis Dahlonega, je sais qu'il y a des hasards troublants. Est-ce que penser trop fort à Sam ne me mènerait pas droit à lui ?

Lorenz n'est pas homme à perdre son sang-froid. Mon attitude le déroute mais il se tait. Tant qu'il n'est pas frontalement confronté à un problème, il reste serein. Ça fait partie de sa philosophie. Il rejette toute notion d'anticipation, ne se projette jamais au conditionnel et refuse d'envisager le moindre scénario au cas où. Il dit que ça ne sert à rien, c'est du temps perdu. Prétend que la vie, c'est le moment présent. Il soutient que toute la vie est dans ce moment. Là, maintenant. Je reconnais qu'il m'épate, même si, parfois, je m'interroge sur son degré de sensibilité. Il aborde la plupart des événements contrariants avec une telle distance désaffectée !

— Projette-toi dans six mois, un an. À ce moment-là, tu verras, tu ne ressentiras plus rien. Donc, à quoi bon te torturer ?

D'une certaine façon, il a raison. Mais je suis bien trop

empêtrée dans le présent. Sa sagesse me déconcerte, même Magda est bluffée.

— Je reconnais que, de ce côté-là, il est balèze. À sa place, n'importe quel mec en proie au doute péterait les plombs.
Elle persifle quand même que c'est bien la preuve qu'il n'est pas normal.
— Tu classes la normalité dans le registre des qualités ! je rétorque. C'est nouveau !
— Tu comprends très bien ce que je veux dire, elle répond. Avaler des couleuvres, c'est une manœuvre pour te garder. De toute façon, il n'a pas le choix.
— Ce n'est pas une raison pour faire le dos rond. Des tas de gens n'ont pas le choix, et ils ne réagissent pas aussi raisonnablement. La plupart se braquent et font des scènes.
— OK, mais dans ce cas, ça tourne au vinaigre. Il y a des cris, des larmes, des menaces. Ça devient invivable.
— C'est justement ce que Lorenz cherche à éviter.
— Pour ça, c'est un as de l'évitement ! Tu ne crois pas qu'il est parfois préférable de se confronter aux emmerdes ?
— Jusqu'à prendre un ticket pour l'enfer ? Magda, tu parles sérieusement ?
— Tu as déjà pris tes quartiers en enfer, elle soupire. T'as plus grand-chose à perdre.

Juste à me perdre moi-même, je songe. Je suis d'ailleurs en bonne voie. Quel que soit l'avenir où je me projette, il m'apparaît également tragique. J'y serai également amputée de Sam ou de Lorenz.

Je me répète comme un mantra que Sam a pris la bonne décision. Continuer à nous aimer de loin nous aurait mené à quoi, au bout du compte ? Si rien de nouveau ne s'était produit, aucun événement petit ou grand ? Et si on avait décidé de vivre ensemble, est-ce que ce qui était extraordinaire à Atlanta l'aurait été à Munich ou à Paris ? Et même si ça l'avait été ? Est-ce qu'au bout, d'allez, trois ans, au mieux, on ne se serait pas retrouvés au même point qu'aujourd'hui ? À s'aimer comme on aime déjà Lorenz et Betty ?

— Mais ces trois ans, objecte Magda, est-ce qu'ils ne valent pas la peine d'être vécus ? Trois ans de nuits avec Sam ?

Jusqu'à Lorenz, je prétendais que oui. J'ai aimé des hommes avant lui. Au début, c'était l'extase. On était comme des mômes à Noël. On visitait des appartements, on achetait des meubles, des lampes, de la vaisselle, on fêtait les anniversaires en famille, on composait des albums-photos. Et puis je rencontrais quelqu'un. Ça arrivait par hasard. Je rencontrais quelqu'un et je partais, point. Autour de moi, c'était chaque fois un concert de protestations.

— Anna, on ne plaque pas tout sur un coup de tête. L'exaltation, ça ne dure pas. C'est une affaire de quoi… un an, deux maximum.

Je jugeais que ça valait la peine. S'exalter pendant un an, tous les jours, à toutes les heures, se consacrer exclusivement à l'amour, qu'est-ce qui vaut davantage la peine ? Franchement ?

Pour moi le bon vieux temps n'existe pas. L'invoquer revient à se lamenter sur tout ce qu'on a jeté aux ordures depuis qu'on est né. Je reconnais qu'il arrive par mégarde qu'on laisse tomber des trésors dans les poubelles. Des bijoux mal arrimés ou des liasses de billets roulés en boule. On peut être distrait et commettre des bourdes. Mais le temps et les bennes passant, les décharges ne regorgent que de richesses putréfiées. Les tirer de leur fange flanquerait des haut-le-cœur à des mouches nécrophages.

Je partais parce que je voulais de nouveau attendre quelqu'un. Je voulais ne plus dormir et ne plus manger en l'attendant. Je voulais des mots chuchotés. « Tu es où ? Tu fais quoi ? On se voit quand ? » Je voulais penser à l'autre sans arrêt. Je voulais me raconter et qu'il se raconte. Je voulais qu'on marche sur la mer en écoutant du blues à fond. Je voulais être prude et ne pas oser. Je voulais oser et devenir obscène. Je voulais avoir honte et m'excuser.

Mais ça, c'était avant Lorenz. La vérité, c'est que j'aurais préféré mourir avant d'aimer quelqu'un d'autre que lui.

Pour Noël, il a loué un chalet à Gryon. Une belle bâtisse au fronton ouvragé de dentelle de bois. Avec des balcons ourlés d'arabesques brutes, des esquisses de pommes de pin vrillées de clous en bronze.

— En souvenir de notre première rencontre, il a dit.

En me tendant les clés, il avait un petit sourire triste qui m'a fracassée.

L'intérieur était sobre et douillet. Une large cheminée trônait au milieu de la pièce principale. Devant l'âtre, étaient disposés des plaids molletonnés, comme autant d'invitations à l'abandon. Il m'a demandé quel thème je souhaitais pour les décorations. J'en change chaque année. À Munich, j'ai des boîtes entières de boules et de guirlandes empilées sur des étagères, elles sont toutes marquées : Noël rose, Noël bleu, Noël argent, Noël doré, Noël finlandais, Noël indien, j'ai même un Noël Pop avec des symboles des *seventies*. Des festons de vinyles miniatures et pailletés. Mon hobby nous coûte cher. Il a proposé d'emporter une boîte au chalet, j'ai dit « Non, on choisira sur place ». On fera ça à l'ancienne, avec des ribambelles de lutins et d'edelweiss, du bois, du houx et des clochettes. Un authentique Noël de Gryon. Le 24 décembre, il a déposé un sapin somptueux devant la cheminée, un épicéa odorant de deux mètres. Je n'aime pas les Nordmann, plus résistants mais artificiels. On l'a garni ensemble en chahutant. Les épines arrogantes et rétives nous perçaient les doigts. On se piquait comme on riait. Pour envelopper la flèche d'un fourreau écarlate, il a escaladé un tabouret. La pointe penchait obstinément, dans un sens ou dans l'autre.

— Aide-moi à la caler, Anna.

Je le guidais avec application :

— Un centimètre plus à gauche. Reviens vers la droite. Non, c'est trop. Redresse un chouïa. Écarte tes mains. Ne bouge plus, c'est parfait.

Sitôt qu'il redescendait, la cime s'inclinait.

— Remonte, Lorenz. S'il te plaît.

Il s'exécutait de bon gré.

— Anna, tu veux que je reste perché jusqu'à la Saint-Glinglin ?

— Tu es nul, laisse-moi faire.

J'ai grimpé à mon tour. Lorenz maugréait et haussait les épaules.

— C'est bon, Anna. Tant pis si ça penche un peu. On ne participe pas à un concours de sapin droit.

Je bloquais sur la question. Je visais la verticalité parfaite. J'ai songé *au secours docteur Freud* et je me suis appliquée plus maniaquement encore. J'ai fini par atteindre mon but. Mon beau sapin, roi des forêts, avait un maintien parfait du haut en bas. C'était un événement minime, mais partagé dans une tendre complicité. Le premier depuis des lustres. Lorenz a applaudi. *Bravo, Anna.* Il m'a prise dans ses bras, m'a picoré la nuque. Je me suis surprise à l'embrasser avec fougue. Sur une branche, j'ai accroché la hotte de Dahlonega. Une chaussette en laine rose débordant de sucres d'orge bigarrés et surplombée de la bannière étoilée. Lorenz n'a pas fait de commentaire sur son incongruité, ni sur le fait qu'elle ne collait pas du tout avec l'ensemble. *Bravo Anna.* On a allumé les ampoules électriques, réglé leur clignotement. « Accélère le rythme des bleues. Ralentis les rouges. » Lorenz s'exécutait. C'était magnifique. De loin le plus bel arbre de Noël qu'on ait jamais conçu. On est restés enlacés à ses pieds. Lorenz avait envie de moi, j'avais envie de lui. Cette nuit-là, on est redevenus amants.

Au réveil, il m'a conduite devant le sapin. Le père Noël était passé. Il avait déposé une large enveloppe en papier kraft sous les branches. « Ouvre-la, mon amour. » À l'intérieur, j'ai découvert un dessin. La carte géographique d'une île aux contours mal définis, esquissée à la manière des premiers explorateurs, dans les tons pastel. Elle était surplombée d'une rose des vents, le symbole d'une boussole antique, et indiquait les quatre points cardinaux. Dessous, figurait un nom calligraphié à l'ancienne : Martha's Vineyard. Il avait inscrit entre parenthèses celui que lui avaient donné les Amérindiens Wampanoag : Noepe. *La terre parmi les courants.* Il avait croqué les dunes, les forêts de pins, les marécages, les falaises abruptes, et brossé l'Atlantique autour. Au dos, figurait un village aux maisons de pain d'épice.

— Je te présente Oak Bluffs.

Les façades étaient peintes de couleurs vives, mauves, bleues, vertes, comme celles de Dalonhega. Il avait aussi reproduit les cabanes des pêcheurs de Menemsha, le port des *Dents de la mer*. Un rectangle à losanges bleus et blancs, le drapeau de la Bavière, pointait un emplacement sur la baie d'Aquinah. Le fief des Kennedy.

— Un chouette endroit pour une gargote, non ? il a suggéré.

J'ai compris qu'il m'offrait la Nouvelle-Angleterre. Et une nouvelle vie. Je l'ai serré dans mes bras. J'ai vu, pardessus son épaule, que la chaussette rose avait disparu de sa branche. *Bravo Lorenz*, j'ai songé.

Pour la première fois, j'ai aimé le froid, l'air piquant

chargé de cristaux de neige. Oui, j'ai aimé Noël en décembre, comme j'ai aimé Noël en août.

Même Magda a flanché. Le coup de Martha's Vineyard lui a cloué le bec.

— Tu pars à la conquête de l'Amérique, ma fille ! Ça vaut tous les Sam du monde. D'ailleurs, si cet été tu avais été bien dans ta peau, ton Français et toi vous seriez croisés dans l'ascenseur comme tous les clients des hôtels et *basta*. Tous les clients des hôtels ne tombent pas amoureux les uns des autres.

Je n'ai rien rétorqué. J'avais la tête ailleurs. Dans une petite crique du Massachusetts.

Pour pleurer, j'ai désormais besoin d'une bonne raison. La dernière fois, c'était pendant le film de Lars von Trier, *Breaking the Waves*. À la fin, mes yeux ne pouvaient plus fournir, il ne devait pas rester la moindre goutte dans mes glandes lacrymales. J'avais la gorge sèche comme si j'avais avalé du plâtre. Lorenz m'a pris la main, « Calme-toi, ce n'est qu'un film », il a dit. Mais c'était plus fort que moi, je ne contrôlais plus les muscles de mon larynx. Je me suis demandé si, comme Beth, je me serais prostituée pour Sam ? Et si, comme Yann, Sam avait été paralysé ? J'aurais sans doute continué à l'aimer, comme j'aurais continué à aimer Lorenz. En même temps, je savais que c'était des larmes de crocodile. Rien à voir avec Sam ou Lorenz. Après tout, *Breaking the Waves* est un film triste.

En janvier, j'ai donné mon congé à la RDA et je prépare notre déménagement, prévu au printemps. J'ai trouvé un point de chute provisoire sur le continent, à New Bedford. Un ancien port baleinier, d'où Herman Melville fait appareiller le *Pequod* à la poursuite de Moby Dick. L'information a amusé Lorenz. Depuis, il se prend pour Achab. Il mime le capitaine hargneux scrutant les flots à la recherche du cachalot qui lui a arraché la jambe. C'est drôle et ridicule à la fois, mais on rit comme des mômes. New Bedford est en face de Martha's Vineyard. On n'aura qu'à traverser la baie en ferry et sillonner l'île jusqu'à dénicher un endroit qui nous plaise. « Et trouver Moby Dick », ajoute Lorenz. Il a commencé une toile sur le géant blanc. Son éditeur zurichois ne voit pas d'inconvénient à le faire travailler à distance. Ça va nous laisser du lest pour trouver une gargote.

La plupart du temps, je suis gaie. Je rêve devant les photos des plages de la Nouvelle-Angleterre, hérissées de cathédrales abruptes, aux noms qui font du bien à l'âme : Buzzards Bay, Cuttyhunk, Nantucket, Cape Cod. Cape Cod à propos duquel Henry David Thoreau écrivait : « Ici, l'homme a du mal à laisser une trace de son passage : sur le plateau, le vent les efface ; et sur la grève, les vagues, à marée montante. »

C'est une perspective qui me va tout à fait. En attendant la vieille Angleterre.

27

SAM

À Pâques, avec Betty, on est partis en Floride, on a fait l'archipel des Keys. On voulait changer d'air, surtout moi. L'hiver avait été calamiteux, pendant des mois, je n'ai eu envie de rien. J'ai dû sacrément me secouer pour tenir le cap, finalement, mi-janvier, j'ai craqué. J'ai sombré dans une sorte de dépression, j'avais des idées morbides et des bouffées d'angoisse à crever. La nuit, je ne pouvais pas fermer l'œil, je m'endormais sur le coup de 6 heures du mat, j'arrivais au boulot lessivé. Un vrai zombi. Le toubib m'a collé au Deroxat. Un antidépresseur costaud, censé calmer mes crises de panique. À part me filer des nausées et des bouffées de chaleur, ça m'a rien fait. Je bossais comme un automate, je n'avais pas de punch, autour de moi, ça commençait à jaser. Marco a été cool, il a calmé le jeu côté potins. Il a vu que je ne tournais plus rond depuis Monza. Comme mon téléphone n'affichait plus le foutu indicatif 49, il a pigé. C'est lui qui m'a suggéré de prendre le large.

— T'inquiète pas, il m'a fait, on se démerdera.

Il a été réglo sur toute la ligne, un jour ou l'autre, il faudra que je lui en touche un mot. Betty a sauté au plafond quand je lui ai proposé un break en Floride. On était début mars, il faisait un froid de gueux à Paris, elle aussi était au bout du rouleau. Le train-train des plateaux, les salades internes, plus mon humeur maussade l'avaient mise à rude épreuve. On s'est dit que deux semaines au chaud ne nous feraient pas de mal. J'ai pris deux billets pour Miami et on s'est pointés à Roissy. Pour la première fois depuis des mois, en enregistrant mes bagages au comptoir d'American Airline, j'ai senti la boule se desserrer. Cette saloperie n'avait pas arrêté de me comprimer le larynx de tout l'hiver. J'ai achevé de me détendre dans l'avion et je suis arrivé à peu près relax à Miami. Betty a trouvé ça normal.

— Tu étais simplement stressé, Sam. Tu avais besoin de vacances, un point c'est tout, elle a décrété.

Besoin de vacances, besoin de vacances, je me suis répété ça en boucle jusqu'au *Hilton*. Je me sentais mieux, mais fallait pas pousser. Je m'efforçais surtout de ne pas penser que la Floride n'était pas loin de la Géorgie, c'était même la porte à côté. Je ne tenais pas à replonger.

On a pris la route des Keys par la voie mythique, la fameuse *US one South*, une véritable hallucination. Imaginez une route toute droite, bordée par une végétation tropicale. D'un côté, l'océan Atlantique, de l'autre, le golfe du Mexique. Au-dessus, un ciel uniformément lapis-lazuli. Betty et moi, on était là, dans une chaleur de four à plâtre, à regarder le soleil ricocher sur le capot de la bagnole, et la vérité, c'est qu'on était foutrement bien. Ça faisait un bail que je ne m'étais pas senti aussi à l'aise avec elle, aussi détendu. De temps en temps, elle déposait un baiser sur ma joue ou elle appuyait sa tête contre mon épaule, ça m'a rappelé le début de notre mariage. On avait filé en Basse-Californie. La péninsule mexicaine qui longe à la fois le Pacifique et la mer de Cortés. Tout nous bottait : les *sierras* désertiques, les vautours qui tournoyaient au-dessus des cactus candélabres et les bouis-bouis de bord de route, sinistres et poussiéreux, où on servait du Coca tiède. On se marrait sans arrêt, de vrais mômes. Et on se bécotait à perdre le souffle, les *rancheros* n'avaient jamais vu ça.

Bon, c'est vrai qu'avant Florida City, la *US one* a des airs de nationale 20 à la hauteur de la Vache noire. Elle fend une zone indus dégueu, essaimée de centres commerciaux et de concessionnaires à enseignes discount, mais franchement, Betty et moi, on s'en foutait. D'autant que le cauchemar au néon n'a pas fait long feu. Il s'est évanoui dès le panneau Key Largo. Pendant toute la traversée de l'île, je me suis remémoré la scène du film où Lauren Bacall et Humphrey Bogart affrontaient à la fois Edward G. Robinson et les intempéries. On s'est arrêtés au *Caribbean Bar* où Humphrey sirotait du *ginger ale* en pestant contre les moustiques. J'avais emporté une cassette de country et poussé le son à la puissance maximum.

Je pensais à Thelma et Louise, quand elles roulent en cabriolet avec des fichus sur la tête.

Je pensais aux *road movies* américains, aux routes plates qui traversent des trous à rats pleins d'ivrognes à moitié abrutis.

Je pensais à Woody Guthrie qui aurait pu devenir le roi du hit-parade et qui avait préféré les coups de trique des grands fermiers.

Je pensais à Kerouac, à vingt ans, j'étais fondu des beatniks, Burroughs, Ken Kesey et toute leur clique.

Je pensais à Dos Passos rejoignant Hemingway par cette même route, et qui décrivait cette portion du trajet comme « semblable à un rêve ».

Je pensais à la nationale 104 et aux Smocky Mountains.

Je pensais à Jim Croce.

Je pensais à Anna.

À Islamorada, on est tombés sur un mirage colorisé : *Loreleï*. Un *Bagdad café* sur pilotis, tout en bois, avec la mer partout autour et plein de pélicans dans les palétuviers. On a commandé du *chicken fries* et le serveur, un grand rouquin à rouflaquettes, s'est s'exclamé: « Ouah ! *Very good choice* ! » Comme la Frances du Delicatessen de Buckhead. Ça doit être une manie chez les loufiats américains. On est restés deux plombes à siroter des Bud glacées, à la fin, on était complètement pétés. Betty m'a pris les mains, m'a regardé droit dans les yeux, et elle a dit : « Tu sais ce qu'on devrait faire, Sam ? On devrait tout larguer et venir s'installer dans le coin. »

Ça m'a rappelé Dahlonega. Anna aussi voulait rester là. Est-ce qu'avec Betty, cette perspective était aussi enthousiasmante ? La réponse était oui.

Sur le coup de 6 heures du soir, on a fini par arriver à Key West. C'est là qu'Hemingway a écrit ses romans les plus célèbres, *Pour qui sonne le glas*, *L'Adieu aux armes* et *Les Neiges du Kilimandjaro*. On a garé la bagnole et on est allés tout droit au *Sloppie Joe's Bar*, où il s'enfilait daiquiri sur daiquiri. Je l'imaginais traînant son spleen et sa gueule de bois dans un coin sombre du bouge. Les murs étaient couverts de photos d'époque où on le voyait jouer aux cartes ou pêcher le marlin. Derrière le bar, il y avait la une du *West Citizen*, le quotidien de Key West, datée du 2 juillet 1961. Le gros titre disait : « *Papa passes* ».

De son vivant, tout le monde l'appelait « Papa ». Y compris ses femmes.

Pendant quinze jours, on a lézardé sur la plage, on avait déniché un petit hôtel sympa, le *Casa Marina*. Betty frimait avec ses nouveaux maillots, on aurait dit une môme. Le hâle lui allait bien, elle était gaie, elle ondulait comme un barracuda en chasse, les gars mataient ses fesses. Je me suis maudit pour tous ces mois où je l'avais négligée, elle aurait pu rencontrer quelqu'un, un type qui l'aurait traitée comme une reine, et j'aurais été marron. Je lui ai dit que j'avais une sacrée chance de l'avoir pour femme, elle m'a répondu que c'était vrai, une chance de cocu, elle a précisé. Je me suis demandé si elle m'avait trompé, durant ces six ans, bientôt sept. Après tout, je voyage pas mal et je ne l'appelle pas tous les soirs. Elle aurait pu avoir une aventure. Est-ce que je m'en serais aperçu ? Probablement pas. Les femmes sont malignes, et je ne suis pas à l'affût. La vérité, c'est qu'on ne connaît personne à fond.

On ne sait rien de la personne la plus proche. Qu'est-ce que je sais de Betty, à part qu'elle boit du café sans sucre et qu'elle dort à ma gauche ? Qu'est-ce que je connais d'elle, je veux dire, qui ne soit pas insignifiant ? J'ai beau chercher, tout ce qui me vient, ce sont les foutus détails de la vie quotidienne. Les petits riens, qui comptent pour du beurre. Et j'ai beau trouver ça touchant, me répéter que c'est déjà pas mal, c'est du vent. Si ça se trouve, les autres en savent sur elle long comme le bras, beaucoup plus long que moi. Ils ont saisi ses vérités essentielles qui m'ont échappé.

Je me souviens d'un psy que j'ai fréquenté il y a quinze ans. J'avais des angoisses atroces, je le voyais trois fois par semaine. À l'époque, j'étais avec une fille, c'était pas folichon, mais bon, on vivait sous le même toit. Un jour, je lui dis : « Vous vous rendez compte de tout ce que vous connaissez de moi qu'elle ignore ? » Et lui, aussi sec : « Et vous, vous vous rendez compte de tout ce qu'elle connaît de vous que moi, j'ignore ? »

Sur le coup, je m'étais marré. Avec le recul, il avait raison. En dehors de ce que je voulais bien lui raconter, il n'en savait pas lourd sur mon compte. Chacun possède de l'autre des petits morceaux de puzzle, pas tous, on ne risque pas d'aller très loin avec. Moi-même, en ce qui me concerne, je n'ai pas toutes les pièces en main.

Et Betty, s'est-elle doutée, pour Anna ? Elle n'y a jamais fait allusion, mais allez savoir... Si ça se trouve, elle n'est pas dupe. Elle a peut-être simplement attendu que ça me passe.

Est-ce que ça m'est passé ? Oui et non. Oui dans un sens. Et dans un sens, non. Entre Betty et moi, tout est pareil qu'avant mais plus rien ne l'est. Je ne sais pas comment expliquer ça. Disons que ce qui a changé, c'est moi. À Key West, je me suis remis à la désirer comme un malade, on est redevenus amants et c'était sacrément bon. En même temps, le manque d'Anna me tordait les tripes. Je ne me suis pas demandé si j'aurais préféré être à Key West avec Anna plutôt qu'avec Betty. Je sais que je n'aurais pas été mieux. Ça aurait été pareil. On aurait été aussi bien, on aurait trouvé la Floride aussi épatante. C'est ça qui me bute, cette impossibilité que j'ai de faire une distinction entre les deux options. Cette foutue impossibilité. Rouler en Floride avec Betty, c'est rouler en Géorgie avec Anna. Acheter des tee-shirts à Key West avec l'une, c'est acheter des tee-shirts à Atlanta avec l'autre. J'en connais qui prétendront que c'est des foutaises, que j'ai forcément une préférence. Et non. Je prends la vie comme elle vient, un point c'est tout.

Après cette parenthèse du tonnerre, Betty et moi, on est rentrés à Paris. Physiquement, je m'étais un peu retapé.

Pour le reste, j'ai pris sur moi. On a recommencé à aller au cinoche, à fréquenter la *Closerie.* On est retournés dîner chez nos copains. Valérie et Jacques. Marco et Angela. Les premiers continuaient à s'adorer, les seconds à se pourrir la vie. Tout redevenait normal. Je me suis toqué de bouquins d'auteurs latinos, pour changer. Carlos Fuentes, Alfredo Bryce Echenique, et je me suis enfilé tout Cortazar. *Les Armes secrètes. Tous les feux, le feu.* Etc. La production intégrale d'un surréaliste atteint d'une maladie surréaliste : un excès de collagène... Il a fini par crever de rajeunissement ! Sans déconner. À soixante piges, il en paraissait vingt de moins. Sauf que c'est justement ce qui lui a fait casser sa pipe. La prolifération anarchique de cellules toutes neuves. Le truc de dingue. Dans la foulée, je me suis collé à l'œuvre intégrale de Jorge Luis Borges. Borges qui, au seuil de la mort, avait déclaré à un journaleux de Buenos Aires que tout ce qu'il souhaitait emporter dans sa tombe était « les rares moments où j'ai vécu ma vie avec audace ». J'ai songé que j'étais vraiment un minable.

Bref, Betty et moi, on a recommencé nos virées du samedi à Saint-Germain. *Le Dôme*, la *Closerie*, *Le Select*, *Les Deux Magots*. On a squatté les quartiers de la *Lost Generation.* Scott Fitzgerald, Hemingway, Ezra Pound, à qui Ernest filait des leçons de boxe en échange de la correction de ses manuscrits. Au bout du compte, disons que j'ai à peu près repris une vie acceptable.

Je n'ai pas appelé Anna. Ou plutôt, je ne lui ai pas parlé. J'ai composé son numéro, ça oui. La plupart du temps, je suis tombé sur son répondeur. J'ai écouté sa voix, j'ai pas laissé de message.

Une ou deux fois, elle a répondu, mais j'ai raccroché. Ce n'était pas par lâcheté ni parce que je craignais des reproches de sa part. Je connais Anna, elle aurait fait comme si de rien n'était, comme si on s'était parlé la veille. Elle m'aurait dit, *Sam, c'est bon de t'entendre* et je lui aurais dit qu'elle me manquait. On se serait répété qu'on pensait l'un à l'autre. Trop. Elle m'aurait raconté tout ce qu'elle avait fait pendant ces six mois. Je lui aurais demandé des nouvelles de Lorenz. Elle m'aurait dit qu'il était OK. Je lui aurais dit que Betty aussi. Il y aurait eu des silences suivis d'éclats de rire. On aurait fait semblant d'être à l'aise. Ça aurait servi à quoi ? On s'est rencontrés trop tard, elle et moi, les jeux étaient faits. J'avais déjà décroché la timbale et elle aussi. Je ne tenais pas à me cogner le destin d'Hemingway.

Il avait fini par parler à Hadley. Il lui avait dit qu'il l'aimait et qu'il aimait Pauline, qu'il ne pouvait vivre ni sans l'une, ni sans l'autre. Hadley avait accusé le coup. Est-ce qu'il allait la quitter ? Il avait juré que non. Elle était sa femme. Son amie. Son inspiratrice. Et la mère de Bumby. Est-ce qu'on quitte quelqu'un qu'on aime à ce point ? Est-ce qu'on remplace un amour par un autre amour ? La réponse était non. Sauf que c'était une situation impossible. Hadley avait tenté une proposition.

— Séparez-vous pendant trois mois. Si, après ce délai, tu aimes toujours Pauline, je t'accorderai le divorce.

Hem ne voulait pas divorcer. Il avait dit OK, on va faire comme ça. Cent jours sans Pauline. C'était un bon test, il verrait bien si, avec le temps, elle continuerait à l'obséder. Ils avaient passé leur dernière nuit d'amants à l'hôtel *Meurice* et le lendemain, il l'avait conduite à Boulogne, d'où partait le transatlantique pour l'Amérique. Ils s'étaient promis de s'envoyer des câbles pendant la traversée. Il libellerait les siens au nom de Pilar. Ça serait leur secret. Le bateau n'avait pas encore accosté à Southampton qu'ils s'étaient déjà échangé des kilomètres de câbles. Dans le dernier, Ernest écrivait « Dieu merci, ma Pilar, il ne reste que quatre-vingt-dix-neuf jours avant nos retrouvailles ».

C'était râpé pour Hadley qui avait décidé de renoncer avant les cent jours. Son grand homme était malheureux. Elle avait dit stop. « Papa, tu es libre. »

Ça s'était joué comme ça. Il avait quitté Hadley Elisabeth Richardson, son épouse adorée, pour Pauline Pfeiffer, sa maîtresse adorée. Ça aurait aussi bien pu être l'inverse, il aurait pu rester avec Hadley, ça n'aurait rien changé. Les deux options étaient également mauvaises, il ne pouvait rien en découler de bon. Personne ne pouvait s'en sortir indemne. Tout ce petit monde venait clairement de recevoir son ticket pour l'enfer.

Après, ça, la vie d'Hemingway n'avait plus été une fête. Ça n'avait pas collé avec Pauline. Il l'avait prise en grippe vite fait. Elle l'avait exilé à Key West. Au trou du cul du monde. Ernest s'y emmerdait ferme. *L'Adieu aux armes* n'avançait pas. Il s'enfilait des hectolitres de rhum au *Sloppy* et rampait à l'aube dans Duval Street jusqu'à sa prison de Whitehead pour insulter Pauline qui encaissait. Il fuyait, fuyait sans cesse pour distraire son spleen et sa débine. De temps à autre, il s'embarquait sur des rafiots pour pêcher le marlin. Ses prises ne le consolaient pas. Réfugié dans son bureau perché au-dessus du parc, solitaire et hargneux, il s'exténuait sans plaisir à la rédaction de *Mort dans l'après-midi*. Autiste, névrotique, amer, usé. Il avait aimé deux femmes à la fois et il en crevait.

Où qu'il aille avec Pauline, il s'emmerdait. Il s'emmerdait en Europe. Il s'emmerdait en Afrique où il attendait ses retours de safari en souffrant de dysenterie et en guettant le coucou de Nairobi. Il était le Harry des *Neiges du Kilimandjaro*. Cet écrivain raté et moribond, gangrené par son appétit débile des sirènes de la gloire et qui en rejetait la faute sur sa femme. « Cette riche garce, cette gardienne dévouée et destructrice de son talent. »

Harry l'atrabilaire, le pourri, le foutu. Le double lucide d'Hemingway, qui savait que son talent, c'est lui et lui seul qui l'avait saboté à force de minables compromis. Pauline n'était pour rien dans ce désastre.

C'est à Hadley qu'il pensait le 2 juillet 1961 à Ketchum, dans l'Idaho, en pointant son fusil contre sa poitrine et en appuyant sur la détente. Après son suicide, sa dernière compagne, Mary Welsch, avait envoyé une lettre à Hadley.

« La veille de sa mort, précisait-elle, Papa écrivait des choses gentilles à votre sujet. »

Sa vieille bécane mécanique emprisonnait son dernier feuillet : une page de *Paris est une fête* où il était question d'Hadley.

À présent, je parviens presque à rester une heure sans penser à Anna. Bien sûr, je m'exerce. Je fais comme les plongeurs en apnée. Chaque seconde supplémentaire sans évoquer son nom est une seconde de gagnée. Je ne veux pas l'oublier, non, on n'oublie rien. Je brigue juste la pensée sans douleur. Je sais que ça viendra. Demain ou dans dix ans. On finit toujours par oublier. Le dernier des trous-du-cul sait ça.

N'empêche, je compte sur mes doigts. Avril, mai, juin, juillet, août, septembre. Encore six mois et quinze jours. Dans six mois et quinze jours, je prendrai l'Eurostar, terminus Waterloo Station. Je monterai dans un cab *english* et on roulera à gauche jusqu'au *Claridge.*

Est-ce qu'Anna sera là ?

Cet ouvrage a été composé par IGS-CP (16)

Dépôt légal : mai 2010

IMPRIMÉ AU CANADA